Nathalie Regim
Diététiste-Nutri

Mandoline
J'ai ça dans le sang !

Illustrations de Mika

Éditions Viséo

**Catalogage avant publication de Bibliothèque et
Archives nationales du Québec et Bibliothèque et Archives Canada**

Regimbal, Nathalie, 1970-

Mandoline : j'ai ça dans le sang! : recettes illustrées et activités amusantes à faire avec les enfants

Comprend un index.
Pour enfants de 18 mois à 12 ans.

ISBN 978-2-9809681-4-3

1. Cuisine - Ouvrages pour la jeunesse. 2. Activités dirigées - Ouvrages pour la jeunesse.
I. Vaillancourt, Louise, 1954- . II. Mika, 1981- . III. Titre.

TX652.5.R43 2009   j641.5'123 C2009-942265-4

Conception graphique et illustrations : **Mika**
Photographie de Nathalie Regimbal : **Julie Robillard**

Diffusion au Canada :
Prologue
1650, boulevard Lionel-Bertrand
Boisbriand QC J7H 1N7

Dépôt légal : 4ᵉ trimestre 2009
Bibliothèque et Archives nationales du Québec
Bibliothèque et Archives du Canada

ISBN 978-2-9809681-4-3

Éditions Viséo
1275, du Boisé
Boucherville QC J4B 8W5
www.MangerFute.com

Cet ouvrage a été imprimé par
K2 impressions inc.
au Québec, Canada.

Merci beaucoup!

Un livre, ça ne se fait pas tout seul! Merci à tous ceux qui de près où de loin m'ont aidée à créer ce livre.

Je tiens tout particulièrement à remercier madame Ginette Lamarche qui me guide dans mon écriture. Tes commentaires, tes recommandations, tes points de vue sont toujours très pertinents. J'adore travailler avec toi Ginette.

Merci à Mika, une jeune maman pleine d'énergie et de créativité. C'est si facile de travailler avec toi Mika! Tes illustrations sont superbes, ça donne le goût de cuisiner. Mandoline est adorable, ses yeux sont intelligents et joyeux. J'ai du plaisir à regarder tout ce que tu crées!

Merci à ceux qui ont cuisiné les recettes et aux nombreux goûteurs. Vos commentaires et recommandations ont été très utiles pour rendre ce livre encore plus accessible à tous… Je tiens spécialement à remercier Yolande, Bob, Martin, Lina, Annie, Daniel, Olivier et le jeune chef Gabriel. Il y a aussi Mélanie qui goûte à tout… Elle n'a peur de rien! Je voudrais aussi dire merci à madame Isa-Belle Girard qui m'a aidé à élaborer quelques recettes. Merci à mes beaux-parents pour leur soutien et leurs encouragements. Merci aussi à tous ceux qui sont venus chez moi et qui ont «testé» des recettes sans le savoir!!!

Merci à madame Louise Vaillancourt directrice péda-gogique du CPE l'Amibulle qui a répondu à mon appel sans hésiter. Louise, les enfants et les éducatrices des installations et des milieux familiaux vont adorer les activités que tu leur proposes. Merci Louise pour ta grande disponibilité et ton professionnalisme. Ce fut un plaisir de travailler avec toi à nouveau!

Merci à madame Nathalie Laforest qui est une femme pleine de ressources et toujours prête à relever des défis. Nathalie, tu es toujours là pour me faire voir de nouveaux points de vue, pousser ma réflexion et me guider vers ce qu'il y a de mieux.

Merci à toute l'équipe chez Prologue pour votre enthousiasme face à mon nouveau projet. Merci pour votre confiance, j'en suis grandement reconnaissante.

Merci à mon conjoint Stéphane avec qui j'ai toujours beaucoup de plaisir dans la vie! Merci d'être là. Tu me supportes dans mes démarches, tu crois en mes capacités, tu vois plus loin et tu me fais confiance. Tout ça me donne des ailes.

Merci à mes trois enfants, Antoine, Émile et Aurélie. Des enfants extraordinaires! Antoine, j'aime créer des recettes avec toi. Tu as vraiment de très bonnes idées et tes recettes fonctionnent à tout coup. Émile, j'aime quand tu dis: «je veux casser les œufs!» Tu es vraiment l'expert et j'aime aussi quand tu dessines sur nos fiches de recettes! Aurélie, tu es toujours prête… J'aime entendre: «qu'est-ce qu'on cuisine?» et hop! Tu sors ton tablier et tu te laves les mains! Merci de partager la cuisine avec moi. Merci d'être chacun comme vous êtes: UNIQUES!

Merci à tous ceux qui achèteront le livre, mais surtout à tous ceux qui l'utiliseront très souvent pour avoir du plaisir à cuisiner avec leurs enfants! Des moments de plaisir au quotidien avec nos enfants, c'est un des plus beaux cadeaux à se faire!

Merci à toi, chère maman. Cuisiner avec mes enfants avec plaisir, c'est vraiment grâce à toi que *j'ai ça dans le sang!*

Pourquoi
aimes-tu cuisiner ?

J'ai la chance de goûter aux ingrédients de la recette pendant que je cuisine!

J'aime regarder les illustrations des livres de recettes!

J'ai le plaisir de choisir la recette !

Quand je vais à l'épicerie, je peux reconnaître plusieurs aliments, car je les ai déjà cuisinés.

Quand j'ai très faim et qu'il faut « attendre » le repas, je cuisine car le temps passe plus vite.

Quand je cuisine avec ma famille, nous avons beaucoup de plaisir et nous créons quelque chose ensemble!

C'est super de cuisiner, car je crée quelque chose qui se mange! Je me sens un « artiste des saveurs »!

Le jour de mon anniversaire, j'ai cuisiné avec mes amies. C'était amusant, nous avons bien ri. Maman a pris beaucoup de photos. Mes amies sont reparties avec des super bons muffins que nous avions préparés et emballés nous-mêmes!

J'aime sentir les herbes et les épices des recettes que je cuisine!

Quand je cuisine, je passe du temps avec ceux que j'aime.

En cadeau, j'aime offrir des mets que je prépare.

Avec maman, j'ai choisi les recettes du repas d'anniversaire de grand-maman. Après, nous avons cuisiné ensemble. Grand-maman était contente et elle a tout trouvé très bon. Elle a dit que c'était le plus beau cadeau de sa vie!

Cuisiner en équipe...
« J'ai ça dans le sang »!

Élaborer le menu de la semaine, faire la liste d'épicerie,
aller à l'épicerie, préparer le déjeuner, préparer les boîtes à
lunch, cuisiner les collations, le souper... Ouf! Ça en fait des choses
à faire. Ton papa ou ta maman le fait peut-être même tout seul.
Ça ne doit pas être toujours drôle pour lui ou pour elle!

Propose-lui ton aide pour toutes ces tâches. C'est toujours plus
amusant de travailler en équipe, n'est-ce pas? Tu verras, vous aurez
du plaisir tous les jours à cuisiner les recettes appétissantes
et faciles que Mandoline vous présente dans ce livre.

Découvrir
« ce que j'ai dans le sang »!

Tu sais que c'est important de bien manger pour être
en bonne santé. Mais sais-tu ce qu'il y a dans ton sang?
Sais-tu quels aliments sont bons pour la santé de ton sang?

Propose les activités de Mandoline à ton enseignante,
à ton éducatrice ou même à tes parents pour
apprendre tout ça en vous amusant.

Mandoline ∗ www.mangerfute.com

5

Table des matières

Des recettes toutes en images 9
Garniture aux haricots blancs et au sirop d'érable 10
Navets et carottes à l'érable 12
Croquettes de saumon 14
Poulet en lanières à la libanaise 16
Mousse aux fraises 18
Poires garnies à l'avoine 20

Des légumes, des salades, des soupes et plus encore 23
Trempette irrésistible 24
Légumes rôtis au four 26
Salade d'orge fruitée 28
Salade de pâtes de la récolte d'été 30
Salade de quinoa 32
Œufs cuits durs 34
Potage à la courge 36
Minestrone aux haricots rouges 38
Soupe aux tortellinis 40

Des repas pour tous les goûts 43
Chili con carne 44
Pâtes aux poivrons et aux haricots blancs 46
Casserole de bœuf et de pois chiches sur lit de boulgour 48
Poisson à la ciboulette 50
Filet de porc à la cannelle et sauce à l'orange 52
Chop suey à la dinde 54
Couscous au tofu sans pareil 56

Couscous marocain 58

Gratin de poulet, de tofu et de polenta crémeuse 60

Quiche à l'estragon 62

Les collations et les desserts 65

Barres tendres « mmm... » au soya 66

Barres tendres cacao et abricots 68

Muffins au son et aux bleuets 70

Muffins agrumes et pavot 72

Compote de pommes « multicolore » 74

Délice glacé aux framboises 76

Lexique 78

Découvrir « ce que j'ai dans le sang » ! 82

Thème 1 - Des légumes verts, j'ai ça dans le sang ! ... 84

Activité 1 – Je m'en vais au marché 84

Activité 2 – Des légumes comme matériel de création 86

Activité 3 – Une recherche sur les légumes 87

Histoire de la famille verte « B9 » 88

Comptine de Mandoline 89

Thème 2 - Du poisson, j'ai ça dans le sang ! 90

Activité 1 – Je m'en vais à la pêche 90

Activité 2 – L'histoire de Julien 92

Activité 3 – Végétal ou animal ? 93

Activité 4 – Mangerions-nous des clous !?! 94

Index 96

Des recettes toutes en images !

Garniture aux haricots blancs et
au sirop d'érable 10

Navets et carottes à l'érable 12

Croquettes de saumon 14

Poulet en lanières à la libanaise 16

Mousse aux fraises 18

Poires garnies à l'avoine 20

Garniture aux haricots blancs et au sirop d'érable

C'est surprenant comme c'est BON!

10

Portions :
x 9 environ 9 portions de 50 ml (1/4 tasse)

Préparation :
10 minutes

Cuisson :
aucune

Réfrigération :
3 à 4 jours

Congélation :
non

1 boîte (540 ml/19 oz) de haricots blancs, rincés et égouttés

50 ml (1/4 tasse) de fromage à la crème

1 carotte en gros morceaux

30 ml (2 c. à soupe) de sirop d'érable

Sel et poivre au goût

Les étapes

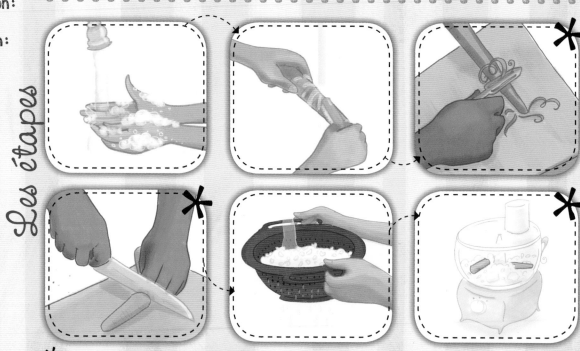

∗ Ces manipulations nécéssitent l'aide d'un adulte.

1 Au robot culinaire, réduire en purée les haricots blancs, le fromage à la crème, la carotte et le sirop d'érable.

2 Ajouter le sel et le poivre. Mélanger à nouveau.

3 Goûter et rectifier l'assaisonnement.

Cette *garniture* peut se servir comme **trempette** avec les légumes. On peut aussi l'étendre sur des **craquelins**, des **pains pitas**, des **tortillas grillés**...

Mandoline * www.mangerfute.com

11

Navets et carottes
à l'érable

QUI pourrions-nous inviter pour savourer ce délice ?

Portions:
👤 x 8 environ 8 portions de 125 ml (1/2 tasse)

Préparation:
🕐 10 minutes

Cuisson:
🕐 25 minutes

Réfrigération:
2 à 3 jours

Congélation:
3 mois

45 ml (3 c. à soupe) d'huile d'olive

45 ml (3 c. à soupe) de sirop d'érable

15 ml (1 c. à soupe) de Tamari

3 gousses d'ail hachées

2 ml (1/2 c. à thé) d'estragon séché

500 ml (2 tasses) de navet en bâtonnets ou en tranches

500 ml (2 tasses) de carottes moyennes en bâtonnets ou en tranches

1 poireau en rondelles

Les étapes

✱ Ces manipulations nécéssitent l'aide d'un adulte.

Préchauffer le four à 200 °C (400 °F).

 Dans un petit bol, mélanger l'huile, le sirop d'érable, le Tamari, l'ail et l'estragon. Réserver.

 Laver et peler le navet et les carottes.
À l'aide du robot culinaire, couper en bâtonnets ou en tranches le navet et les carottes.

 Laver le poireau et coupez-le en rondelles.

 Dans un plat allant au four, mettre les légumes.

 Verser le mélange d'huile et de sirop sur les légumes. Bien mélanger.

 Couvrir d'un papier d'aluminium.

 Cuire les légumes au four pendant 25 minutes ou jusqu'à ce que les légumes soient tendres.

S'il vous reste des légumes, vous pouvez les mettre en purée au robot culinaire et les cuisiner dans un potage.

*Ces manipulations nécéssitent l'aide d'un adulte.

Croquettes de saumon

C'est aussi amusant à façonner que de la pâte à modeler.

Portions:
👤 x 15 — 15 croquettes de 50 ml (1/4 tasse)

Préparation:
🕐🕐 20 minutes

Cuisson:
🕐 10 minutes

Réfrigération:
1 à 2 jours

Congélation:
2 mois

2 boîtes (418 g chacune) de saumon rose égoutté

4 oeufs

250 ml (1 tasse) de son de blé

10 ml (2 c. à thé) d'aneth séché

15 ml (1 c. à soupe) de jus de citron

Sel et poivre au goût

30 ml (2 c. à soupe) d'huile de canola

Les étapes

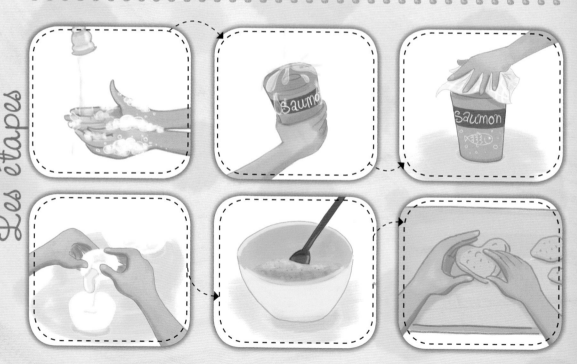

Dans un grand bol, mélanger le saumon, les œufs, le son de blé, l'aneth, le jus de citron, le sel et le poivre.

 Façonner 15 croquettes d'environ 50 ml (1/4 tasse) chacune.

 Chauffer l'huile dans un grand poêlon et y faire revenir les croquettes de chaque côté.

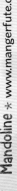

Poulet en lanières
à la libanaise

On peut faire le tour du monde dans notre assiette…

Portions :
👤 x 10 environ 10 portions de 75 g (2 ½ oz)

Préparation :
🕐 10 minutes

Macération :
🕐 15 minutes

Cuisson :
🕐 12 minutes

Réfrigération :
1 à 2 jours

Congélation :
1 mois

3 gousses d'ail hachées finement

375 ml (1 ½ tasse) de yogourt nature

15 ml (1 c. à soupe) de jus de citron

5 ml (1 c. à thé) de cumin moulu

5 ml (1 c. à thé) de thym séché

15 ml (1 c. à soupe) de zeste de citron

Sel et poivre au goût

750 g (1 ½ livre) de poitrines de poulet, sans la peau, coupées en lanières

Les étapes

* Ces manipulations nécéssitent l'aide d'un adulte.

1 Préchauffer le four à
230 °C (450 °F).

2 Dans grand bol muni
d'un couvercle, mélanger l'ail,
le yogourt, le jus de citron,
le cumin, le thym, le zeste de citron,
le sel et le poivre.

3 Ajouter les lanières de poulet et laisser
mariner au réfrigérateur pendant au moins
15 minutes.

4 Dans un plat huilé allant au four, déposer
les lanières de poulet.

5 Cuire au four environ 12 minutes ou jusqu'à ce
que la chair ne soit plus rosée.

Servir en sandwichs ou
avec des pointes chaudes
de pita épais et des légumes.

Mousse aux fraises

Ou à tes petits fruits préférés!

Portions:
x 6 environ 6 portions de 125 ml (1/2 tasse)

Préparation:
 15 minutes

Cuisson:
3 minutes

Réfrigération:
2 jours

Congélation:
non

50 ml (1/4 tasse) d'eau fraîche

1 (7 g) sachet de gélatine sans saveur

75 ml (1/3 tasse) d'eau bouillante

250 ml (1 tasse) de yogourt nature

50 ml (1/4 tasse) de sucre

5 ml (1 c. à thé) de vanille

500 ml (2 tasses) de fraises fraîches ou surgelées

1 Dans un petit bol, verser 50 ml (1/4 tasse) d'eau fraîche. Saupoudrer la gélatine sur l'eau. Laisser reposer 5 minutes.

2 Dans un petit chaudron, amener à ébullition le 75 ml (1/3 tasse) d'eau. Verser l'eau bouillante sur la gélatine. Brasser jusqu'à ce que la gélatine soit bien dissoute. C'est comme faire de la magie puisqu'on ne voit plus la gélatine. Réserver.

Les étapes

* Ces manipulations nécéssitent l'aide d'un adulte.

Mandoline ∗ www.mangerfute.com

18

3 Au robot culinaire, battre le yogourt, le sucre, la vanille et les fraises jusqu'à consistance homogène.

 4 En actionnant le robot culinaire, verser graduellement la gélatine dissoute dans le mélange aux fraises.

5 Verser dans des bols de service. Réfrigérer environ 1 heure.

* Ces manipulations nécéssitent l'aide d'un adulte.

Poires garnies à l'avoine

Pourquoi ne pas les servir au petit déjeuner du dimanche?

Portions: 👤 x 6
environ 6 portions

Préparation:
🕙 10 minutes

Cuisson:
🕙 10 minutes

Réfrigération:
1 jour

Congélation:
non

1 boîte (398 ml/14 oz) de poires en moitiés

50 ml (1/4 tasse) de flocons d'avoine (gruau minute non cuit)

15 ml (1 c. à soupe) de son d'avoine

15 ml (1 c. à soupe) de germe de blé

15 ml (1 c. à soupe) d'huile

15 ml (1 c. à soupe) de sirop d'érable

30 ml (2 c. à soupe) de jus de fruit

Les étapes

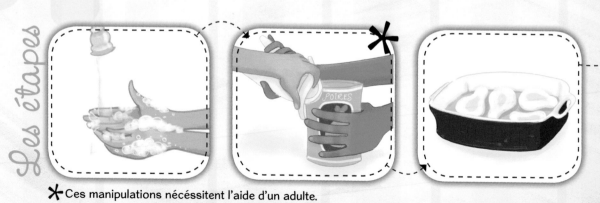

✳ Ces manipulations nécéssitent l'aide d'un adulte.

1 Préchauffer le four à 180 °C (350 °F).

2 Dans un plat allant au four, déposer les fruits.

3 Dans un bol, mettre les flocons d'avoine, le son d'avoine, le germe de blé. Bien mélanger. Ajouter l'huile, le sirop d'érable et le jus de fruit. Mélanger à nouveau.

4 Garnir les fruits de ce mélange.

5 Cuire au four pendant 10 minutes.

Des légumes, des salades, des soupes et plus encore !

Trempette irrésistible 24

Légumes rôtis au four 26

Salade d'orge fruitée 28

Salade de pâtes de la récolte d'été 30

Salade de quinoa 32

Oeufs cuits durs 34

Potage à la courge 36

Minestrone aux haricots rouges 38

Soupe aux tortellinis 40

Trempette irrésistible

Si facile à préparer! Tout ce qu'on y trempe disparaît vite.

Portions:
 x 12 environ 12 portions de 15 ml (1 c. à soupe)

Préparation:
10 minutes

Cuisson:
aucune

Réfrigération:
2 à 3 jours

Congélation:
non

125 ml (1/2 tasse) de yogourt nature

50 ml (1/4 tasse) de mayonnaise

15 ml (1 c. à soupe) de sirop d'érable ou de miel

15 ml (1 c. à soupe) de moutarde à l'ancienne

Sel et poivre au goût

1 Dans un bol muni d'un couvercle, mélanger le yogourt, la mayonnaise, le sirop d'érable, la moutarde, le sel et le poivre.

2 Goûter et rectifier les assaisonnements.

Tu peux rouler des feuilles de *bébés épinards*, de *cresson*, d'*endives* ou de *chou* et les tremper dans la « *trempette* ».

Tu peux faire plonger quelques **bouquets** de brocolis, des poivrons et du *chou-fleur* dans la *trempette*.

Tu peux demander à un adulte de faire cuire des asperges. Quand elles seront cuites, laisse-les refroidir au réfrigérateur. Une fois refroidies, dépose trois asperges et un peu de *trempette* dans de petites assiettes pour chaque invité.

Avec un peu (ou pas!) d'aide d'un adulte, tu peux:

Laver tes mains ★ Sortir les outils de travail ★ Sortir, mesurer et mélanger les ingrédients ★ Ranger!

Légumes rôtis au four

pas certain qu'il va en rester...

Portions:
x 10 environ 10 portions de 125 ml (1/2 tasse)

Préparation:
10 minutes

Cuisson:
20 minutes

Réfrigération:
2 à 3 jours

Congélation:
3 mois

50 ml (1/4 tasse) d'huile d'olive

5 ml (1 c. à thé) de coriandre moulue

Sel et poivre au goût

½ oignon rouge en morceaux

500 ml (2 tasses) de champignons en quartiers

500 ml (2 tasses) de carottes en bâtonnets

1 poivron jaune en morceaux

 1 Préchauffer le four à 200 °C (400 °F).

 2 Dans un petit bol, mélanger l'huile, la coriandre, le sel et le poivre. Réserver.

 3 Dans un plat allant au four, mettre les légumes.

 4 Verser le mélange d'huile sur les légumes. Bien mélanger.

5 Cuire les légumes au four pendant 20 minutes ou jusqu'à ce que les légumes soient tendres.

S'il vous reste des **légumes rôtis**, vous pouvez les mettre en *purée* au robot culinaire et les cuisiner dans un *potage*.

Mandoline ★ www.mangerfute.com

Tu as sûrement entendu parler du **Guide alimentaire canadien** ! Tu sais, ce guide qui nous renseigne sur la *bonne alimentation*. Dans ce **guide**, on nous recommande de consommer au moins un *légume vert* par jour. Quel légume vert pourrais-tu ajouter à cette recette de légumes rôtis ? Moi je crois que j'y ajouterais des *poivrons verts* !

Bien manger avec le **Guide alimentaire Canadien**

Avec un peu (ou pas!) d'aide d'un adulte, tu peux :

Laver tes mains ★ Activer le four ★ Sortir les outils de travail ★ Sortir les ingrédients ★ Mesurer et mélanger les ingrédients de la sauce ★ Laver et couper les légumes avec un couteau convenant à tes habiletés ★ Activer le robot culinaire (si vous en utilisez un) pour couper les carottes en bâtonnets ★ Mesurer et mettre les légumes dans le plat ★ Verser la sauce sur les légumes ★ Mélanger les légumes ★ Ranger !

Salade d'orge fruitée

> Que j'aime les salades avec des fruits! Miam!

Portions: x5 environ 5 portions de 250 ml (1 tasse)

Préparation: 15 minutes

Cuisson: environ 25 minutes pour l'orge perlée ou 90 minutes pour l'orge mondé

Réfrigération: 2 à 3 jours

Congélation: non

250 ml (1 tasse) d'orge perlée ou d'orge mondée

625 ml (2 ½ tasses) d'eau

30 ml (2 c. à soupe) d'huile d'olive

50 ml (1/4 tasse) d'oignon rouge en morceaux

500 ml (2 tasses) de fraises fraîches en morceaux

1 concombre en morceaux

Sauce à salade

50 ml (1/4 tasse) d'huile d'olive

50 ml (1/4 tasse) de jus d'orange

2 ml (1/2 c. à thé) de coriandre moulue

5 ml (1 c. à thé) de moutarde de Dijon

Sel et poivre au goût

 À l'aide d'un tamis, rincer abondamment l'orge à l'eau fraîche. Réserver.

 Dans une grande casserole, verser l'eau. Amener à ébullition.

 Verser l'orge dans l'eau bouillante. Bien mélanger.

Mandoline * www.mangerfute.com

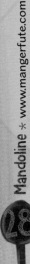

28

4 Faire mijoter à feu doux sans couvercle pendant 25 minutes pour l'orge perlée ou 90 minutes pour l'orge mondée ou jusqu'à ce que l'orge soit tendre.

 5 À l'aide d'une passoire, égoutter l'orge.

 6 Mettre l'orge dans un plat muni d'un couvercle.

 7 Ajouter l'huile d'olive et bien mélanger.

 8 Placer au réfrigérateur et refroidir complètement.

 9 Mesurer 750 ml (3 tasses) d'orge refroidie et les déposer dans un saladier.

 10 Ajouter l'oignon rouge, les fraises et le concombre.

 11 Dans un petit bol, battre l'huile d'olive, le jus d'orange, la coriandre et la moutarde.

 12 Verser la sauce sur la salade. Bien mélanger.

 13 Ajouter le sel et le poivre.

 14 Goûter et rectifier les assaisonnements.

Avec un peu (ou pas!) d'aide d'un adulte, tu peux:

Laver tes mains ★ Sortir les outils de travail ★ Sortir et mesurer les ingrédients
Verser l'orge dans le tamis ★ Rincer l'orge ★ Verser l'eau dans la casserole
Laver les fraises et le concombre ★ Couper les aliments avec un couteau convenant
à tes habiletés ★ Préparer, battre et verser la sauce à salade ★ Bien mélanger
la salade ★ Goûter et rectifier les assaisonnements ★ Ranger !

Salade de pâtes
de la récolte d'été

Mais c'est bon même en hiver! Et c'est tout plein de couleurs.

Portions:
x 8 environ 8 portions de 250 ml (1 tasse)

Préparation:
20 minutes

Cuisson:
environ 15 minutes

Réfrigération:
1 à 2 jours

Congélation:
non

250 g (1/2 livre) de pâtes alimentaires de blé entier

175 ml (3/4 tasse) de haricots verts hachés

125 ml (1/2 tasse) de courgettes jaunes non pelées, tranchées

125 ml (1/2 tasse) de courgettes vertes non pelées, tranchées

125 ml (1/2 tasse) de carottes hachées finement ou râpées

125 ml (1/2 tasse) de poivrons rouges en tranches

1 grosse tomate hachée

50 ml (1/4 tasse) de ciboulette hachée

50 ml (1/4 tasse) d'olives noires coupées en deux

30 ml (2 c. à soupe) de basilic frais haché (ou 5 ml (1 c. à thé) de basilic séché)

Sauce à salade

30 ml (2 c. à soupe) d'huile d'olive

50 ml (1/4 tasse) de jus de citron

5 ml (1 c. à thé) de moutarde à l'ancienne

1 gousse d'ail émincée

Sel et poivre au goût

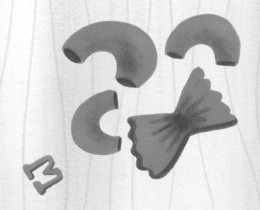

1 Dans une grande casserole d'eau bouillante, cuire les pâtes alimentaires jusqu'à ce qu'elles soient al dente. Rincer sous l'eau froide et égoutter.

 2 Dans un saladier, mettre les pâtes alimentaires cuites. Ajouter les haricots verts, les courgettes, les carottes, les poivrons rouges, la tomate, la ciboulette, les olives noires et le basilic.

 3 Dans un petit bol, mettre l'huile d'olive, le jus de citron, la moutarde, l'ail, le sel et le poivre. Bien mélanger la sauce.

 4 Verser la sauce sur la salade. Bien mélanger. Assaisonner au goût.

 5 Mettre au réfrigérateur environ 1 heure si vous désirez des légumes moins croquants.

 6 Au moment de servir, goûter et rectifier les assaisonnements.

Avec un peu (ou pas!) d'aide d'un adulte, tu peux:

Laver tes mains ★ Sortir les outils de travail ★ Sortir et mesurer les ingrédients
Laver les légumes et les herbes fraîches ★ Trancher les aliments avec un couteau
convenant à tes habiletés ★ Râper la carotte ★ Préparer, battre et verser la
sauce à salade ★ Bien mélanger la salade ★ Goûter et rectifier les assaisonnements
Ranger!

Salade de quinoa

Compte et nomme les couleurs qu'il y a dans ton assiette...

Portions:
👤 x8 environ 8 portions de 250 ml (1 tasse)

Préparation:
🕐🕐 20 minutes

Cuisson:
🕐🕐 25 minutes

Réfrigération:
3 à 4 jours

Congélation:
non

250 ml (1 tasse) de quinoa sec

375 ml (1 ½ tasse) d'eau

30 ml (2 c. à soupe) d'huile d'olive

1 (540 ml/19 oz) boîte de légumineuses mélangées, rincées et égouttées

125 ml (1/2 tasse) de tomates cerises coupées en deux

125 ml (1/2 tasse) de poivrons jaunes coupés en petits morceaux

125 ml (1/2 tasse) de carottes coupées en petits morceaux

50 ml (1/4 tasse) d'oignons rouges hachés

Sauce à salade

75 ml (1/3 tasse) d'huile d'olive

50 ml (1/4 tasse) de vinaigre de vin blanc

50 ml (1/4 tasse) de persil frais haché

30 ml (2 c. à soupe) de sirop d'érable

Sel et poivre au goût

 À l'aide d'un tamis, rincer abondamment le quinoa à l'eau fraîche. Réserver.

 Dans une grande casserole, verser l'eau. Amener à ébullition. Verser le quinoa. Bien mélanger.

3 Faire mijoter à feu doux sans couvercle pendant 20 minutes ou jusqu'à ce que le quinoa soit tendre.

 4 À l'aide d'une passoire, égoutter le quinoa.

 5 Mettre le quinoa dans un plat muni d'un couvercle.

6 Ajouter l'huile d'olive et bien mélanger. Placer au réfrigérateur et refroidir complètement.

7 Mettre le quinoa refroidi dans un saladier. Ajouter les légumineuses, les tomates, les poivrons, les carottes et les oignons rouges.

8 Dans un petit bol, battre l'huile d'olive, le vinaigre, le persil et le sirop d'érable.

9 Verser la sauce sur la salade. Bien mélanger.

10 Ajouter le sel et le poivre.

11 Goûter et rectifier les assaisonnements.

Avec un peu (ou pas!) d'aide d'un adulte, tu peux:

Laver tes mains ★ Sortir les outils de travail ★ Sortir et mesurer les ingrédients
Verser le quinoa dans le tamis ★ Rincer le quinoa ★ Verser l'eau dans la casserole
Laver le dessus de la boîte de conserve ★ Activer l'ouvre-boîte ★ Laver et couper
les légumes avec un couteau convenant à tes habiletés ★ Préparer, battre et
verser la sauce à salade ★ Bien mélanger la salade ★ Goûter et rectifier
les assaisonnements ★ Ranger !

Œufs cuits durs

C'est tellement facile à faire !

Portions :
x6 6 œufs

Préparation :
10 minutes

Cuisson :
environ 30 minutes

Réfrigération :
7 jours

Congélation :
non

6 œufs

34

 1 Dans une grande casserole munie d'un couvercle, déposer les œufs froids les uns à côté des autres.

 2 Recouvrir les œufs d'eau.

 3 Couvrir la casserole et amener à ébullition à feu vif.

 4 Retirer immédiatement la casserole du feu dès que l'eau bout.

 5 Laisser les œufs reposer dans l'eau bouillante entre 18 et 23 minutes selon leur grosseur.

 6 Vider l'eau chaude et faire immédiatement couler de l'eau froide sur les œufs jusqu'à ce qu'ils soient froids au toucher.

 7 Enlever la coquille des œufs.

À l'étape ⭐4 de la recette, on te demande de retirer la casserole dès que l'eau bout et ensuite de laisser reposer les oeufs dans l'eau bouillante.

C'est TRÈS important.

Je te suggère de bien surveiller ta casserole. Dès que l'eau bout, enlève-la IMMÉDIATEMENT du dessus de la cuisinière. Dépose-la sur le comptoir protégé par un sous-plat. Je te conseille de faire cela pour empêcher tes oeufs de cuire trop longtemps à une haute température.

Si tu fais TROP cuire tes oeufs à une haute température, il y a des éléments naturels du blanc et du jaune qui se touchent. En se touchant, une couleur grise se forme entre le jaune et le blanc de l'oeuf. Le gris n'est pas dangereux, mais c'est moins beau!

Avec un peu (ou pas!) d'aide d'un adulte, tu peux:

Laver tes mains ★ Sortir la casserole et son couvercle ★ Sortir et compter les œufs Placer les œufs dans la casserole ★ Faire couler l'eau froide sur les œufs ★ Enlever la coquille des œufs cuits ★ Ranger!

Potage à la courge

Ça, c'est de la saveur, mon ami !

Portions:
x 4 environ 4 portions de 250 ml (1 tasse)

Préparation:
15 minutes

Cuisson:
1 heure

Réfrigération:
3 jours

Congélation:
2 à 3 mois

1 courge musquée d'environ 1 kg (pour obtenir environ 1,25 litre (5 tasses) de courge cuite coupée en gros morceaux)

5 ml (1 c. à thé) d'huile d'olive

4 gousses d'ail non pelées

15 ml (1 c. à soupe) d'huile d'olive

250 ml (1 tasse) d'oignons hachés

1 ml (1/4 c. à thé) de gingembre moulu

1 ml (1/4 c. à thé) de poudre de cari

Une pincée de piment de Cayenne moulu

500 ml (2 tasses) de bouillon de poulet

Sel et poivre au goût

 Préchauffer le four à 180 °C (350 °F).

 Nettoyer la courge puis la couper en deux dans le sens de la longueur.

 Retirer les filaments et les graines. Badigeonner la chair de la courge avec 5 ml (1 c. à thé) d'huile d'olive.

Déposer la courge (la partie coupée vers le haut) et les gousses d'ail dans un plat allant au four. Cuire pendant 45 minutes. Refroidir.

 Peler la courge. Couper la chair de la courge en gros morceaux. Peler les gousses d'ail. Réserver.

 Dans une grande casserole, faire chauffer 15 ml (1 c. à soupe) d'huile d'olive à feu moyen et faire revenir l'oignon, le gingembre, le cari et le piment de Cayenne 3 minutes ou jusqu'à ce que l'oignon soit tendre.

 Ajouter le bouillon de poulet, la chair de la courge, les gousses d'ail, le sel et le poivre.

 Amener à ébullition. Réduire le feu, couvrir et laisser mijoter pendant 10 minutes.

 Au mélangeur ou au plongeur, mélanger jusqu'à consistance lisse.

10 Goûter et rectifier les assaisonnements.

Avec un peu (ou pas!) d'aide d'un adulte, tu peux :

Laver tes mains ★ Sortir les outils de travail ★ Sortir et mesurer les ingrédients
Laver la pelure de la courge et, une fois coupée en deux par l'adulte, enlever les
filaments et les graines de la courge ★ Huiler la chair de la courge ★ Déposer la
courge et l'ail dans le plat allant au four ★ Couper en gros morceaux la chair cuite
de la courge avec un couteau convenant à tes habiletés ★ Activer le mélangeur
Goûter et rectifier les assaisonnements ★ Ranger !

Minestrone aux haricots rouges

«Minestrone» encore un délicieux mot italien!

Portions:
environ 12 portions de 250 ml (1 tasse)

Préparation:
10 minutes

Cuisson:
25 minutes

Réfrigération:
3 jours

Congélation:
2 à 3 mois

15 ml (1 c. à soupe) d'huile de canola

1 gros oignon haché

2 branches de céleri hachées finement

5 ml (1 c. à thé) de basilic séché

5 ml (1 c. à thé) d'origan

2 gousses d'ail émincées

1 litre (4 tasses) de bouillon de bœuf

1 boîte (540 ml/19 oz) de tomates en dés non égouttées

1 pomme de terre pelée et hachée en petits cubes

75 ml (1/3 tasse) de macaroni de blé entier non cuit

1 emballage (300 g) de macédoine de petits légumes surgelée (petits pois, maïs, carotte en cubes, etc.)

1 boîte (540 ml/19 oz) de haricots rouges, rincés et égouttés

Sel et poivre au goût

1 Dans une grande casserole, faire chauffer l'huile à feu moyen vif et faire revenir l'oignon et le céleri 3 minutes ou jusqu'à ce que l'oignon soit tendre.

2 Ajouter le basilic, l'origan et l'ail puis cuire pendant environ 2 minutes.

3 Ajouter le bouillon et les tomates. Amener à ébullition.

4 Ajouter la pomme de terre et les pâtes.

5 Réduire le feu et couvrir et laisser mijoter pendant 10 minutes, en brassant de temps à autre.

6 Ajouter la macédoine, les haricots rouges, le sel et le poivre. Laisser mijoter 5 minutes ou jusqu'à ce que la soupe soit chaude.

7 Goûter et rectifier les assaisonnements.

Nous avons besoin de fer pour que notre *sang* transporte de l'oxygène partout dans notre corps.

C'est NÉCESSAIRE pour être en *bonne santé*.

Mais savais-tu que notre corps NE peut PAS produire le fer ? C'est pourquoi on doit manger des aliments qui contiennent du fer pour en fournir à notre corps. Les haricots rouges contiennent du fer qu'on appelle du fer non héminique.

Avec un peu (ou pas!) d'aide d'un adulte, tu peux :

Laver tes mains ★ Sortir les outils de travail ★ Sortir et mesurer les ingrédients Laver les légumes ★ Couper les légumes avec un couteau convenant à tes habiletés Laver le dessus des boîtes de conserve ★ Activer l'ouvre-boîte ★ Égoutter et rincer les haricots rouges dans une passoire ★ Goûter et rectifier les assaisonnements ★ Ranger !

Soupe aux tortellinis

Peux-tu dire combien de groupes alimentaires sont présents dans ton bol de soupe?

Portions:
 x7 environ 7 portions de 250 ml (1 tasse)

Préparation:
20 minutes

Cuisson:
25 minutes

Réfrigération:
3 jours

Congélation:
2 à 3 mois

15 ml (1 c. à soupe) d'huile de canola

1 oignon haché finement

1 gousse d'ail émincée

500 ml (2 tasses) de carottes pelées et hachées

175 ml (3/4 tasse) de céleri haché

1 litre (4 tasses) de bouillon de poulet

2 ml (1/2 c. à thé) de basilic séché

2 ml (1/2 c. à thé) de thym séché

500 ml (2 tasses) de tortellinis au fromage surgelés

125 ml (1/2 tasse) de petits pois surgelés

Sel et poivre au goût

1 Dans une grande casserole, faire chauffer l'huile à feu moyen et faire revenir l'oignon, l'ail, les carottes et le céleri 3 minutes ou jusqu'à ce que l'oignon soit tendre.

2 Ajouter le bouillon, le basilic et le thym. Amener à ébullition.

3 Réduire le feu, couvrir et laisser mijoter pendant 10 minutes ou jusqu'à ce que les carottes soient tendres. Brasser de temps à autre.

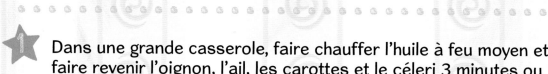

40

As-tu remarqué qu'il n'y a pas d'aliments provenant du groupe des viandes et substituts dans cette recette? Alors, on y ajoute des morceaux de poulet cuit et le tour est joué! Moi, j'aime bien apporter cette soupe dans ma boîte à lunch.

 Ajouter les tortellinis et amener à ébullition.

 Ajouter les petits pois, le sel et le poivre. Laisser mijoter 5 minutes ou jusqu'à ce que la soupe soit chaude.

 Goûter et rectifier les assaisonnements.

Avec un peu (ou pas!) d'aide d'un adulte, tu peux:

Laver tes mains ★ Sortir les outils de travail ★ Sortir et mesurer les ingrédients
Laver les légumes ★ Couper les légumes avec un couteau convenant à tes habiletés
Activer le robot culinaire (si vous en utilisez un) pour couper les carottes
Goûter et rectifier les assaisonnements ★ Ranger!

Des repas pour tous les goûts!

Chili con carne 44

Pâtes aux poivrons et
haricots blancs 46

Casserole de boeuf et de pois chiches
sur lit de boulgour 48

Poisson à la ciboulette 50

Filets de porc à la canelle
avec sauce à l'orange 52

Chop suey à la dinde 54

Couscous au tofu sans pareil 56

Couscous marocain 58

Gratin de poulet, de tofu et de
polenta crémeuse 60

Quiche à l'estragon 62

Chili con carne

« Con carne » ça veut dire « avec de la viande », tu pourras te montrer savant-e !

Portions :
 x 11 environ 11 portions de 250 ml (1 tasse)

Préparation :
20 minutes

Cuisson :
20 minutes

Réfrigération :
2 à 3 jours

Congélation :
2 à 3 mois

500 g (1 livre) de bœuf maigre haché

2 oignons hachés

2 branches de céleri hachées

1 (796 ml/28 oz) boîte de tomates broyées, non égouttées

2 (540 ml/19 oz) boîtes de haricots rouges, rincés et égouttés

5 ml (1 c. à thé) de cumin

Sauce tabasco au goût

Sel et poivre au goût

Mandoline ∗ www.mangerfute.com

 Dans une grande casserole, faire revenir le bœuf à feu moyen vif en le défaisant à la fourchette. Cela prend environ 5 minutes ou jusqu'à ce que la viande soit brunie.

 Ajouter les oignons et le céleri. Cuire pendant 3 à 5 minutes ou jusqu'à ce que les oignons soient tendres.

3 Ajouter les tomates, les haricots rouges, le cumin, la sauce tabasco, le sel et le poivre.

Brasser, couvrir et laisser mijoter pendant 10 minutes ou jusqu'à ce que les légumes soient tendres.

 Ajouter de l'eau si le mélange est trop épais. Rectifier l'assaisonnement.

Le cumin est une épice que l'on retrouve dans plusieurs mets mexicains. Le cumin a un goût très « fort ». Les premières fois que tu en ajouteras au chili, je te suggère d'en mettre juste un petit peu.

Mmmmm...

Est-ce que tu as pris le temps de sentir le cumin?

Avec un peu (ou pas!) d'aide d'un adulte, tu peux :

Laver tes mains ★ Sortir les outils de travail ★ Sortir et mesurer les ingrédients Laver le céleri et le trancher avec un couteau convenant à tes habiletés ★ Laver le dessus des boîtes de conserve ★ Activer l'ouvre-boîte ★ Rincer et égoutter les haricots rouges dans une passoire ★ Sentir le cumin ★ Goûter et rectifier les assaisonnements ★ Ranger !

Pâtes aux poivrons et aux haricots blancs

> J'apprends encore des mots italiens en cuisinant!

Portions :
👤 x 4 environ 4 portions de 350 ml (1 1/3 tasse)

🕐 **Préparation :** 15 minutes

🕐 **Cuisson :** 10 minutes

Réfrigération : 2 à 3 jours

Congélation : 2 à 3 mois

250 g (1/2 livre) de pâtes alimentaires de blé entier (penne, rigate ou rotini)

5 ml (1 c. à thé) d'huile de canola

1 oignon haché finement

1 gousse d'ail émincée

1 poivron rouge en lanières

1 poivron jaune en lanières

1 (398 ml) boîte de sauce tomate

1 (540 ml/19 oz) boîte de haricots blancs, rincés et égouttés

125 ml (1/2 tasse) de basilic frais haché (ou 5 ml (1 c. à thé) de basilic séché)

Sel et poivre au goût

 1 Dans une grande casserole d'eau bouillante, faire cuire les pâtes alimentaires jusqu'à ce qu'elles soient al dente. Égoutter et réserver.

 2 Dans une autre grande casserole, chauffer l'huile à feu moyen. Faire revenir l'oignon, l'ail et les poivrons environ 5 minutes ou jusqu'à ce que l'oignon soit tendre.

3 Ajouter la sauce tomate et les haricots blancs.

 4 Couvrir et laisser mijoter 5 minutes ou jusqu'à ce que les poivrons soient tendres.

 5 Ajouter le basilic, le sel et le poivre.

 6 Verser la sauce sur les pâtes alimentaires et servir.

Le basilic est une fine herbe.
À l'épicerie, tu peux trouver le basilic
séché avec les autres fines herbes séchées
et les épices. Pour trouver le basilic frais,
rends-toi où sont les fruits et les légumes
frais. Habituellement, le basilic frais est
une petite plante avec de belles feuilles
vertes et il sent très bon !

Mandoline ★ www.mangerfute.com

Avec un peu (ou pas!) d'aide d'un adulte, tu peux :

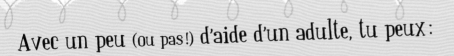

Laver tes mains ★ Sortir les outils de travail ★ Sortir et mesurer les ingrédients
Laver les légumes ★ Trancher les légumes avec un couteau convenant à tes habiletés
Laver le dessus des boîtes de conserve ★ Activer l'ouvre-boîte ★ Sentir le basilic
frais ★ Goûter et rectifier les assaisonnements ★ Ranger !

Casserole de boeuf
et de pois chiches
sur lit de boulgour

Oh! Que grand-maman va aimer ça!

Portions:
x 15 environ 15 portions de 75 g (2 ½ oz)

Préparation:
 20 minutes

Cuisson:
 environ 1 heure 30

Réfrigération:
3 à 4 jours

Congélation:
4 mois

Mandoline * www.mangerfute.com

48

15 ml (1 c. à soupe) d'huile de canola

1 kg (2 livres) de boeuf maigre en cubes

2 oignons hachés

3 gousses d'ail hachées

50 ml (1/4 tasse) de pâte de tomates

2 ml (1/2 c. à thé) de cannelle

2 ml (1/2 c. à thé) de paprika

1 boîte (540 ml/19 oz) de pois chiches

30 ml (2 c. à soupe) de persil frais haché

1 litre (4 tasses) de bouillon de boeuf

Sel et poivre au goût

Boulgour

500 ml (2 tasses) de bouillon de boeuf

250 ml (1 tasse) de boulgour sec

1 Dans une grande casserole, faire chauffer l'huile à feu moyen. Saisir les cubes de boeuf de tous les côtés. Ajouter les oignons et l'ail et faire revenir 3 minutes ou jusqu'à ce que les oignons soient tendres.

2 Ajouter la pâte de tomates, la cannelle, le paprika, les pois chiches, le persil, le bouillon de bœuf, le sel et le poivre. Amener à ébullition. Réduire le feu, couvrir et laisser mijoter à feu doux durant une heure ou jusqu'à ce que la viande soit tendre. Brasser de temps à autre.

Boulgour

 À l'aide d'un tamis, rincer abondamment le boulgour à l'eau fraîche. Réserver.

 Dans une grande casserole, amener le bouillon à ébullition.

 Y verser le boulgour. Bien mélanger.

 Amener à ébullition à nouveau. Réduire le feu et couvrir. Laisser mijoter à feu très doux 10 à 15 minutes ou jusqu'à ce que le bouillon soit complètement absorbé.

Servir dans une assiette en déposant le mélange de boeuf sur le boulgour. Accompagner ce mets avec une belle variété de légumes (haricots verts, maïs, courges d'hiver, patate douce, etc.) Les couleurs, c'est appétissant!

On peut aussi faire mijoter des carottes et des pommes de terre en même temps que la viande. Il suffit de les laver, les peler et les couper en morceaux. Les ajouter dans la casserole avec les *pois chiches*. Ce serait délicieux aussi avec des petits pois verts. Il faut les ajouter seulement à la toute fin de la cuisson. Ce qui est très simple également, c'est d'utiliser un mélange de légumes surgelés pour pot-au-feu.

Avec un peu (ou pas!) d'aide d'un adulte, tu peux:

Laver tes mains ★ Sortir les outils de travail ★ Sortir et mesurer les ingrédients Laver le persil et autres légumes choisis ★ Éplucher les carottes et les pommes de terre avec un économiseur ★ Trancher les légumes avec un couteau convenant à tes habiletés si on décide d'en ajouter! ★ Rincer le boulgour à l'eau fraîche avec un tamis ★ Sentir les épices ★ Laver le dessus des boîtes de conserve ★ Activer l'ouvre-boîte ★ Activer la minuterie ★ Ranger!

Poisson à la ciboulette

Ça, c'est chouette!

Portions:
👤 x 6 environ 6 portions de 75 g (2 ½ oz)

Préparation:
🕐 10 minutes

Cuisson:
🕐 10 minutes

Réfrigération:
2 jours

Congélation:
2 mois

500 g (1 livre) de longe d'aiglefin

50 ml (1/4 tasse) de vin blanc

50 ml (1/4 tasse) de ciboulette hachée

50 ml (1/4 tasse) d'huile d'olive

30 ml (2 c. à soupe) de jus de citron

15 ml (1 c. à soupe) de moutarde à l'ancienne

Sel et poivre au goût

 1 Préchauffer le four à 260 °C (500 °F).

 2 Dans un grand plat allant au four, déposer les longes de poisson en une seule couche. Réserver.

 3 Dans un petit bol, mélanger le vin blanc, la ciboulette, l'huile d'olive, le jus de citron, la moutarde à l'ancienne, le sel et le poivre.

 4 Verser ce mélange sur le poisson.

 5 Cuire au four 10 minutes ou jusqu'à ce que la chair du poisson soit opaque (vérifier en faisant une petite incision dans la partie la plus charnue du poisson).

Mandoline ∗ www.mangerfute.com

50

Tu entends sûrement
beaucoup parler des gras oméga-3.
Qu'est-ce que c'est au juste ? C'est un bon gras
que ton corps ne peut pas produire. Donc, on doit
consommer des aliments qui en contiennent.
Le *poisson* contient des gras oméga-3.
Ces gras aident, entre autres, les cellules
de ton coeur et de ton cerveau à
bien fonctionner.

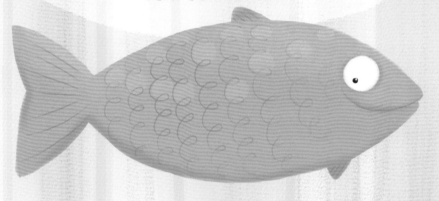

Avec un peu (ou pas!) d'aide d'un adulte, tu peux :

Laver tes mains ★ Activer le four ★ Sortir les outils de travail ★ Sortir, mesurer et mélanger les ingrédients ★ Déposer le poisson dans le plat allant au four Laver la ciboulette et la couper au ciseau ★ Mesurer et mélanger les ingrédients Verser le mélange liquide sur le poisson ★ Activer la minuterie ★ Ranger !

Filets de porc à la cannelle et sauce à l'orange

Ça, c'est grand-papa qui va en raffoler !

Portions:
environ 12 portions de 75 g (2 ½ oz)
x 12

Préparation:
15 minutes

Cuisson:
30 à 40 minutes

Réfrigération:
3 à 4 jours

Congélation:
2 à 3 mois

3 gousses d'ail émincées

5 ml (1 c. à thé) de cannelle

Sel et poivre au goût

1 kg (2 livres) de filets de porc

30 ml (2 c. à soupe) de sirop d'érable

2 ml (1/2 c. à thé) de zeste d'orange

Sauce

30 ml (2 c. à soupe) d'huile de canola

4 échalotes françaises hachées finement

15 ml (1 c. à soupe) de sirop d'érable

250 ml (1 tasse) de bouillon de poulet

125 ml (1/2 tasse) de jus d'orange

Sel et poivre au goût

 1 Préchauffer le four à 200 °C (400 °F).

 2 Dans un petit bol, mélanger l'ail, la cannelle, le sel et le poivre.

 3 Avec les mains, frotter chaque côté des filets de porc avec le mélange de cannelle.

 4 Dans un plat allant au four, déposer les filets de porc.

 5 Cuire les filets au four pendant 20 à 25 minutes ou jusqu'à ce que le jus de cuisson qui s'écoule soit clair ou jusqu'à ce que le thermomètre à viande indique 70 °C (160 °F).

Pendant la cuisson des filets, mélanger le sirop d'érable et le zeste d'orange dans un petit bol. Réserver.

 Lorsque la cuisson des filets est terminée, badigeonner chaque côté des filets de porc du mélange de sirop d'érable et d'orange.

 Poursuivre la cuisson pendant environ 5 minutes ou jusqu'à ce que les filets soient légèrement collants et glacés.

Sauce

 Dans une petite casserole, faire chauffer l'huile à feu moyen.

 Faire revenir les échalotes.

 Ajouter le sirop d'érable puis cuire 2 minutes en remuant de temps à autre.

 Ajouter le bouillon. Laisser réduire de moitié.

 Ajouter le jus d'orange, le sel et le poivre.

Servir les filets de porc nappés de la sauce.

Avec un peu (ou pas!) d'aide d'un adulte, tu peux:

Laver tes mains ★ Activer le four ★ Sortir les outils de travail ★ Sortir, mesurer et mélanger les ingrédients ★ Frotter le porc avec les ingrédients secs ★ Trancher les échalotes avec un couteau convenant à tes habiletés ★ Utiliser un zesteur ou une râpe pour réduire en très petits morceaux la surface de la pelure de l'orange (zeste) ★ Badigeonner le porc avec le mélange de sirop d'érable et d'orange Activer la minuterie ★ Ranger!

Chop suey à la dinde

Avec des morceaux de racines! Spécial!

Portions:
x 8 environ 8 portions de 250 ml (1 tasse)

Préparation:
20 minutes

Cuisson:
15 minutes

Réfrigération:
1 à 2 jours

Congélation:
non

Mandoline * www.mangerfute.com

30 ml (2 c. à soupe) d'huile de canola

1 oignon émincé

2 branches de céleri en morceaux

½ poivron rouge en lanières

½ poivron vert en lanières

250 ml (1 tasse) de champignons en quartiers

350 g (3/4 livre) de dinde cuite coupée en morceaux

2 ml (1/2 c. à thé) de gingembre moulu

ou 15 ml (1 c. à soupe) de racine de gingembre hachée finement

500 g (1 livre) de fèves germées fraîches

250 ml (1 tasse) de bouillon de poulet

50 ml (1/4 tasse) de sauce soya

 Dans une grande casserole, faire chauffer l'huile à feu vif. Faire revenir l'oignon, le céleri, les poivrons et les champignons.

 Ajouter la dinde, le gingembre et les fèves germées. Faire sauter pendant 3 minutes ou jusqu'à ce que les fèves germées soient tendres, mais croquantes.

54

Ajouter le bouillon de poulet et la sauce soya. Cuire en remuant environ 2 minutes ou jusqu'à ce que la préparation soit chaude.

Si vous n'avez pas de *dinde* cuite sous la main, vous pouvez utiliser du *tofu*. Prévoir 150 g (5 oz) de tofu par adulte et 75 g (2 ½ oz) de tofu par enfant. Le *poulet* est délicieux aussi.

À l'épicerie, tu trouveras le *gingembre* frais là où se retrouvent les légumes et les fruits frais. C'est une racine beige et bosselée. Pour la recette, on pèle le *gingembre* (on utilise seulement la pulpe). Ensuite, tu coupes la pulpe en petits morceaux. Tu pourrais goûter au *gingembre* tout simplement comme ça, mais attention, ça pique la langue!

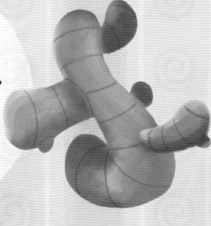

Aimes-tu l'odeur du *gingembre* frais?

Avec un peu (ou pas!) d'aide d'un adulte, tu peux:

Laver tes mains ★ Sortir les outils de travail ★ Sortir et mesurer les ingrédients Laver et trancher les légumes avec un couteau convenant à tes habiletés ★ Peler, sentir et trancher le gingembre frais ★ Couper la dinde en morceaux ★ Ranger!

Couscous au tofu sans pareil!

Tu en redemanderas, c'est sûr!

Portions:
 x 6 environ 6 portions de 75 g (2 ½ oz)

Préparation:
15 minutes

Cuisson:
15 minutes

Réfrigération:
2 à 3 jours

Congélation:
2 à 3 mois

500 ml (2 tasses) de bouillon de poulet ou d'eau

15 ml (1 c. à soupe) de jus de citron

250 ml (1 tasse) de couscous de blé entier

50 ml (1/4 tasse) de raisins secs

1 (454 g) bloc de tofu ferme

60 ml (4 c. à soupe) de sirop d'érable

30 ml (2 c. à soupe) de moutarde de Dijon

15 ml (1 c. à soupe) d'huile de sésame

Sel et poivre au goût

1 Dans une casserole, verser le bouillon de poulet et le jus de citron. Amener à ébullition.

2 Retirer la casserole du feu.

3 Verser le couscous en remuant constamment.

4 Ajouter les raisins secs. Bien mélanger.

Couvrir et laisser reposer pendant au moins 5 minutes.

 Rincer le tofu sous l'eau froide. Le déposer sur un papier essuie-tout et bien l'éponger.

 Couper le tofu en cubes. Réserver.

 Dans un petit bol, mélanger le sirop d'érable et la moutarde de Dijon. Réserver.

 Dans un grand poêlon, faire chauffer l'huile à feu vif. Faire revenir les cubes de tofu pendant 3 à 5 minutes ou jusqu'à ce qu'ils soient dorés.

 Verser le mélange de sirop d'érable et de moutarde sur le tofu.

 Cuire 2 à 3 minutes ou jusqu'à ce que les cubes de tofu soient légèrement collants et glacés.

 Servir le tofu sur le couscous. Accompagner ce plat de vos légumes préférés.

Avec un peu (ou pas!) d'aide d'un adulte, tu peux :

Laver tes mains ★ Sortir les outils de travail ★ Sortir, mesurer et mélanger les ingrédients ★ Rincer, éponger et trancher le tofu avec un couteau convenant à tes habiletés ★ Choisir les légumes d'accompagnement ! ★ Ranger !

Couscous marocain

Habille-toi d'une « djellaba » pour ce repas

Portions :
👤 x 10 environ 10 portions de 250 ml (1 tasse)

Préparation :
🕐🕐 20 minutes

Cuisson :
🕐🕐🕐 35 minutes

Réfrigération :
2 à 3 jours

Congélation :
2 à 3 jours

30 ml (2 c. à soupe) d'huile de canola

500 g (1 livre) de poulet en cubes

2 oignons hachés

1 pincée de safran

2 ml (1/2 c. à thé) de coriandre moulue

2 ml (1/2 c. à thé) de muscade moulue

5 ml (1 c. à thé) de cumin moulu

500 ml (2 tasses) de carottes en cubes

250 ml (1 tasse) de panais en cubes

1 boîte (796 ml/28 oz) de tomates en dés

1 boîte (540 ml/19 oz) de pois chiches rincés et égouttés

500 ml (2 tasses) de bouillon de poulet ou d'eau

250 ml (1 tasse) de courgettes vertes en cubes

Sel et poivre au goût

Couscous

500 ml (2 tasses) de bouillon de poulet ou d'eau

15 ml (1 c. à soupe) de jus de citron

250 ml (1 tasse) de couscous de blé entier

50 ml (1/4 tasse) de raisins secs

1 Dans une grande casserole, faire chauffer l'huile et faire revenir le poulet jusqu'à ce que les cubes soient dorés. Réserver au chaud.

2 Dans la même casserole, faire revenir les oignons, le safran, la coriandre, la muscade et le cumin environ 2 minutes.

3 Ajouter le poulet réservé, les cubes de carottes et de panais, les tomates, les pois chiches et le bouillon.

 4 Amener à ébullition.

 5 Baisser le feu, ajouter les courgettes, le sel et le poivre. Couvrir et laisser mijoter pendant 10 minutes ou jusqu'à ce que tout soit chaud.

Couscous

 6 Dans une autre casserole, verser le bouillon de poulet et le jus de citron. Amener à ébullition.

 7 Retirer la casserole du feu.

 8 Verser le couscous en remuant constamment.

 9 Ajouter les raisins secs. Bien mélanger. Couvrir et laisser reposer pendant 5 minutes.

 10 Servir le mélange de viande et de légumes sur le couscous.

Dans ce plat, le safran procure une couleur et un goût subtil unique, mais à défaut d'en avoir, vous pouvez le remplacer par du paprika.

Pas de pois chiches sous la main !? Optez pour une légumineuse que vous avez dans le garde-manger !

Avec un peu (ou pas!) d'aide d'un adulte, tu peux :

Laver tes mains ★ Sortir les outils de travail ★ Mesurer et sentir les épices et les fines herbes ★ Laver et trancher les légumes avec un couteau convenant à tes habiletés ★ Activer le robot culinaire (si vous en utilisez un) pour couper les légumes durs ★ Laver le dessus des boîtes de conserve ★ Activer l'ouvre-boîte Mesurer les ingrédients ★ Ranger !

Gratin de poulet, de tofu et de polenta crémeuse

« Polenta » est un autre mot italien. Tu verras, c'est délicieux !

Portions :
environ 7 portions de 300 g (10 oz)

Préparation :
30 minutes

Cuisson :
20 minutes

Réfrigération :
2 à 3 jours

Congélation :
3 mois

250 ml (1 tasse) de bouillon de poulet

250 ml (1 tasse) de lait

125 ml (1/2 tasse) de semoule de maïs

15 ml (1 c. à soupe) d'huile de canola

500 g (1 livre) de poitrine de poulet coupée en cubes

1 (454 g) bloc de tofu ferme coupé en cubes

1 oignon haché finement

4 carottes coupées en dés

1 poivron rouge coupé en dés

Sel et poivre au goût

250 ml (1 tasse) de fromage mozzarella grossièrement râpé

 1 Dans une casserole, verser le bouillon de poulet et le lait. Amener à ébullition.

 2 Baisser le feu à très doux et verser la semoule en pluie fine tout en fouettant.

 3 Continuer de fouetter jusqu'à épaississement.

 4 Cuire pendant 10 minutes en brassant continuellement. Réserver.

 5 Préchauffer le four à 180 °C (350 °F).

 6 Dans un poêlon, chauffer l'huile à feu moyen.

Faire revenir le poulet jusqu'à ce que la chair ne soit plus rosée. Ajouter les cubes de tofu.

 Faire revenir les cubes de tofu environ 2 minutes ou jusqu'à ce qu'ils soient dorés.

 Ajouter l'oignon, les carottes et le poivron rouge.

 Faire revenir 3 minutes ou jusqu'à ce que les légumes soient tendres, mais croquants.

 Ajouter le sel et le poivre. Bien mélanger.

 Dans un plat de 3 litres (12 po X 8 po) allant au four, verser la préparation de poulet, de tofu et de légumes.

 Ajouter la préparation de semoule de maïs. Brasser le tout pour disperser la préparation de semoule de maïs.

 Parsemer de fromage râpé.

Cuire au four environ 10 minutes ou jusqu'à ce que le fromage soit fondu.

Avec un peu (ou pas!) d'aide d'un adulte, tu peux:

Laver tes mains ★ Sortir les outils de travail ★ Sortir et mesurer les ingrédients
Activer le four ★ Rincer, éponger et trancher le tofu avec un couteau convenant
à tes habiletés ★ Laver et couper les légumes avec un couteau convenant à tes
habiletés ★ Activer le robot culinaire (si vous en utilisez un) pour couper les
carottes ★ Râper le fromage ★ Activer la minuterie ★ Ranger!

Quiche à l'estragon

Pourquoi ne pas en faire deux, tant qu'à y être!

Portions:
x 5 · 5 pointes

Préparation:
15 minutes

Cuisson:
40 minutes

Réfrigération:
2 à 3 jours

Congélation:
3 mois

Mandoline * www.mangerfute.com

1 fond de tarte profonde de 23 cm (9 po) de diamètre, non cuit

15 ml (1 c. à soupe) d'huile de canola

50 ml (1/4 tasse) d'oignon haché finement

50 ml (1/4 tasse) de poivron rouge haché finement

1 petite courgette hachée finement

30 ml (2 c. à soupe) de miel

15 ml (1 c. à soupe) de moutarde à l'ancienne

6 gros œufs

75 ml (1/3 tasse) de fromage cheddar râpé finement

125 ml (1/2 tasse) de lait

5 ml (1 c. à thé) d'estragon

Sel et poivre au goût

⬤ ⬤

 Placer la grille du four au plus bas niveau.

 Préchauffer le four à 190 °C (375 °F).

 Mettre le fond de tarte sur une plaque à biscuits.

Dans un poêlon, faire chauffer l'huile à feu moyen.
Faire revenir l'oignon, le poivron et la courgette environ
2 minutes ou jusqu'à ce que les légumes soient tendres.

 Ajouter le miel et la moutarde à l'ancienne. Bien mélanger.
Réserver.

 Dans un bol, battre les œufs à la fourchette.

 Ajouter le fromage râpé finement, le lait, l'estragon, le sel et
le poivre. Bien mélanger.

 Verser le mélange de légumes et le mélange d'œufs dans le
fond de tarte préalablement placé sur la plaque à biscuits.

 Cuire au four 35 minutes ou jusqu'à ce que le dessus soit doré.

Avec un peu (ou pas!) d'aide d'un adulte, tu peux:

Laver tes mains ★ Placer la grille du four au plus bas niveau ★ Activer le four
Sortir les outils de travail ★ Sortir, mesurer et mélanger les ingrédients ★ Mettre
le fond de tarte sur la plaque à biscuits ★ Laver et trancher les légumes avec un
couteau convenant à tes habiletés ★ Compter les oeufs ★ Casser un oeuf à la fois
dans un bol avant de les verser dans le grand bol ★ Verser le mélange d'œufs dans
la croûte ★ Activer la minuterie ★ Ranger!

Les collations et les desserts

Barres tendres « mmm... » au soya 66

Barres tendres cacao et abricots 68

Muffins au son et aux bleuets 70

Muffins agrumes et pavot 72

Compote de pommes « multicolore » ...74

Délice glacé aux framboises 76

Barres tendres
« mmm... » au soya

Délice en barre à partager.

Portions :
30 barres

Préparation :
15 minutes

Cuisson :
20 minutes

Réfrigération :
7 jours

Congélation :
3 mois

125 ml (1/2 tasse) de raisins secs

50 ml (1/4 tasse) de fèves de soya rôties

50 ml (1/4 tasse) de graines de sésame

125 ml (1/2 tasse) de farine de blé entier

375 ml (1 ½ tasse) de flocons d'avoine

250 ml (1 tasse) de son d'avoine

15 ml (1 c. à soupe) de poudre à pâte

75 ml (1/3 tasse) d'huile de canola

2 oeufs

125 ml (1/2 tasse) de mélasse

5 ml (1 c. à thé) de vanille

1 Préchauffer le four à 180 °C (350 °F).

2 Huiler un moule carré de 23 cm (9 po) allant au four.

3 Dans un grand bol, mélanger les raisins, les fèves de soya, les graines de sésame, la farine de blé, les flocons d'avoine, le son d'avoine et la poudre à pâte.

Mandoline * www.mangerfute.com

66

Ajouter l'huile, les œufs, la mélasse et la vanille. Mélanger tous les ingrédients.

 Étendre la préparation dans le moule.

 Cuire au four 20 minutes ou jusqu'à ce que le dessus soit doré. Laisser refroidir.

Savais-tu que la *fève de soya rôtie*, dans cette recette, est une source de folate ? La folate est une vitamine qui aide à fabriquer les globules rouges de ton sang.

Avec un peu (ou pas!) d'aide d'un adulte, tu peux :

Laver tes mains ★ Activer le four ★ Sortir, mesurer et mélanger les ingrédients
Huiler le moule ★ Étendre la préparation dans le moule ★ Activer la minuterie ★ Ranger !

Barres tendres cacao et abricots

> Écraser des bananes, quel plaisir! Et les faire changer de couleur... wow!

Portions:
👤 x 16 16 barres

Préparation:
🕐 15 minutes

Cuisson:
🕐🕐 20 minutes

Réfrigération:
3 à 4 jours

Congélation:
2 à 3 mois

250 ml (1 tasse) de bananes écrasées (environ 3)

50 ml (1/4 tasse) d'huile de canola

5 ml (1 c. à thé) de vanille

50 ml (1/4 tasse) de cacao

125 ml (1/2 tasse) d'abricots séchés coupés en très petits morceaux

125 ml (1/2 tasse) d'eau bouillante

500 ml (2 tasses) de farine de blé entier

50 ml (1/4 tasse) de germe de blé

125 ml (1/2 tasse) de cassonade tassée

15 ml (1 c. à soupe) de poudre à pâte

15 ml (1 c. à soupe) de son de blé

 1 Préchauffer le four à 180 °C (350 °F).

 2 Huiler un moule carré de 23 cm (9 po).

 3 Dans un grand bol, mélanger à la fourchette, les bananes, l'huile, la vanille et le cacao.

 4 Ajouter les abricots et l'eau bouillante. Mélanger à nouveau.

5 Ajouter la farine, le germe de blé, la cassonade et la poudre à pâte. Mélanger à nouveau.

 6 Étendre la préparation dans le moule huilé.

 7 Saupoudrer de son de blé.

 8 Cuire au four 20 minutes ou jusqu'à ce qu'un cure-dents inséré au centre en ressorte propre.

 9 Laisser refroidir pendant 10 minutes.

Avec un peu (ou pas!) d'aide d'un adulte, tu peux :

Laver tes mains ★ Activer le four ★ Sortir les outils de travail ★ Sortir, mesurer et mélanger les ingrédients ★ Huiler le moule ★ Écraser les bananes dans une assiette, avec une fourchette (ça, c'est passionnant!) ★ Remarquer le changement de couleur en ajoutant l'huile, la vanille et le cacao ★ Couper les abricots avec un couteau ou des ciseaux selon tes habiletés ★ Mesurer la quantité d'eau dans une tasse allant au four à micro-ondes ★ Mettre la tasse d'eau dans le four à micro-ondes ★ Activer le four à micro-ondes ★ Mélanger à nouveau ★ Étendre la préparation dans le moule ★ Saupoudrer de son de blé ★ Activer la minuterie ★ Ranger!

Muffins au son et aux bleuets

> Ceux-là, j'en mettrai dans une belle boîte-cadeau pour grand-papa!

Portions:
x 12 — 12 muffins

Préparation:
15 minutes

Cuisson:
20 minutes

Réfrigération:
3 à 4 jours

Congélation:
1 mois

250 ml (1 tasse) de farine de blé entier

375 ml (1 ½ tasse) de son de blé

15 ml (1 c. à soupe) de poudre à pâte

2 ml (1/2 c. à thé) de bicarbonate de soude

125 ml (1/2 tasse) de germe de blé

125 ml (1/2 tasse) de cassonade

50 ml (1/4 tasse) d'huile de canola

125 ml (1/2 tasse) de purée de pommes

250 ml (1 tasse) de lait

2 œufs

5 ml (1 c. à thé) de vanille

250 ml (1 tasse) de bleuets frais ou surgelés

15 ml (1 c. à soupe) de son de blé

 1 Préchauffer le four à 200 °C (400 °F).

 2 Dans un grand bol, mélanger la farine de blé entier, le son de blé, la poudre à pâte, le bicarbonate de soude, le germe de blé et la cassonade.

 3 Dans un autre bol, mélanger l'huile, la purée de pommes, le lait, les œufs, la vanille et les bleuets. Incorporer le tout au mélange d'ingrédients secs en remuant juste assez pour humecter.

70

Un grain de céréale est fait en trois parties :

Germe

Le germe est la partie la plus riche en vitamines et en minéraux. On en a besoin pour se garder en bonne santé.

Son

Le son est l'enveloppe du grain. Il est fait de fibres qui aident les intestins à former des selles. Les fibres peuvent aussi aider à la santé du cœur.

Endosperme

L'endosperme est un beau grand mot. C'est la partie intérieure du grain, la plus grande partie. On y retrouve l'amidon qui te donne de l'énergie.

 À l'aide d'une cuillère, verser la préparation dans un moule à muffins antiadhésif ou tapissé de moules en papier.

 Saupoudrer de son de blé.

 Cuire au four pendant 20 minutes ou jusqu'à ce que les muffins soient dorés et fermes au toucher.

Avec un peu (ou pas !) d'aide d'un adulte, tu peux :

Laver tes mains ★ Activer le four ★ Sortir, mesurer et mélanger les ingrédients
Verser la préparation dans le moule ★ Activer la minuterie ★ Ranger !

Muffins agrumes et pavot

Est-ce que ce sera pour le déjeuner, la collation ou le dessert?

Portions:
x 12 — 12 muffins

Préparation:
15 minutes

Cuisson:
20 minutes

Réfrigération:
3 à 4 jours

Congélation:
1 mois

125 ml (1/2 tasse) de lait

15 ml (1 c. à soupe) de jus de lime

250 ml (1 tasse) de farine de blé entier

250 ml (1 tasse) de flocons d'avoine

15 ml (1 c. à soupe) de poudre à pâte

2 ml (1/2 c. à thé) de bicarbonate de soude

125 ml (1/2 tasse) de cassonade tassée

15 ml (1 c. à soupe) de graines de pavot

75 ml (1/3 tasse) d'huile de canola

2 œufs

15 ml (1 c. à soupe) de vanille

 1. Préchauffer le four à 200 °C (400 °F).

 2. Dans un bol, mettre le lait et le jus de lime. Réserver (le lait épaissira).

 3. Dans un grand bol, mélanger la farine de blé entier, les flocons d'avoine, la poudre à pâte, le bicarbonate de soude, la cassonade et les graines de pavot.

4 Dans un autre bol, mélanger l'huile, les œufs, la vanille et le mélange de lait et de jus de lime.

5 Incorporer ce mélange liquide au mélange d'ingrédients secs en remuant juste assez pour humecter.

6 À l'aide d'une cuillère, verser la préparation dans un moule à muffins antiadhésif ou tapissé de moules en papier.

7 Cuire au four pendant 20 minutes ou jusqu'à ce que les muffins soient dorés et fermes au toucher.

Est-ce que tu as remarqué que le *lait* épaissit lorsqu'il est mélangé au jus de *lime*? Ce sont les protéines du *lait* qui changent de forme quand elles sont en contact avec un ingrédient acide. Est-ce que tu es capable de nommer d'autres ingrédients acides? Le vinaigre, le jus de citron sont aussi des ingrédients acides qui pourraient faire épaissir le *lait*.

Avec un peu (ou pas!) **d'aide d'un adulte, tu peux:**

Laver tes mains ★ Activer le four ★ Sortir les instruments de travail ★ Sortir, mesurer et mélanger les ingrédients ★ Observer le lait qui épaissira! ★ Verser la préparation dans le moule à muffins ★ Activer la minuterie ★ Ranger!

Compote de pommes « multicolore »

Recette du chef cuisinier Gabriel. C'est à tomber dans les pommes!

Portions: x 4
environ 4 portions de 125 ml (1/2 tasse)

Préparation:
15 minutes

Cuisson:
20 minutes

Réfrigération:
2 à 3 jours

Congélation:
6 à 8 mois

1,5 kg (3 livres) de pommes
(environ 10 pommes de variétés différentes)
125 ml (1/2 tasse) d'eau

 1 Laver et peler les pommes avec un économiseur.

 2 Couper les pommes en 4 et en retirer le coeur. Trancher les quartiers de pomme.

 3 Dans une grande casserole, déposer les pommes et verser l'eau.

 4 Amener à ébullition. Réduire le feu et laisser mijoter environ 20 minutes ou jusqu'à ce que les pommes soient tendres.

Tu peux ajouter de la *cannelle* ou de la *muscade* si tu le désires!

Mandoline * www.mangerfute.com

74

Ici au Québec, les gens qui ont des vergers de pommes (les pomiculteurs) cultivent principalement quatre variétés de pommes: la McIntosh, la Spartan, l'Empire et la Cortland. J'ai appris qu'il y avait d'autres pommes qui étaient cultivées ici: la Vista Bella, la Jerseymac, la Paulared, la Lobo et la Honeycrisp.

Le jeune chef Gabriel aime bien cuisiner cette recette avec plusieurs variétés de pommes. Les pommes qui sont les favorites pour la cuisson sont: la McIntosh, la Cortland, la Vista Bella, la Paulared, la Lobo et la Honeycrisp. Il est certain que tu peux utiliser d'autres variétés de pommes et que ce sera sûrement très bon!

Avec un peu (ou pas!) d'aide d'un adulte, tu peux:

Laver tes mains ★ Sortir les outils de travail ★ Compter et laver les pommes
Trancher les quartiers de pomme avec un couteau convenant à tes habiletés
Mesurer la quantité d'eau ★ Verser l'eau dans la casserole ★ Mettre les pommes
dans la casserole ★ Observer la couleur de la pelure des différentes pommes!
Observer la couleur de la chair des différentes pommes! ★ Ranger!

Délice glacé aux framboises

 Portions:
x 6 environ 6 portions de 125 ml (1/2 tasse)

Préparation:
15 minutes

Cuisson:
aucune

Réfrigération:
1 jour

Congélation:
non

500 ml (2 tasses) de framboises surgelées

375 ml (1 ½ tasse) de lait

15 ml (1 c. à soupe) de jus de lime

15 ml (1 c. à soupe) de sucre blanc

Le défi: en laisser pour les autres. Tellement rafraîchissant!

1 Au robot culinaire, battre les framboises, le lait, le jus de lime et le sucre.

2 Verser dans des verres.

 Mandoline * www.mangerfute.com

76

La *framboise*, c'est TELLEMENT bon!
En plus, c'est un fruit qui contient de la
vitamine C. La vitamine C aide notre corps
à faire entrer du fer dans notre sang.
Pour être en bonne santé, nous avons
besoin du fer. C'est grâce à lui que
le sang peut transporter l'oxygène
dans tout notre corps.

Avec un peu (ou pas!) d'aide d'un adulte, tu peux:

Laver tes mains ★ Choisir les petits fruits ★ Sortir les outils de travail ★ Sortir les ingrédients ★ Mesurer les ingrédients ★ Activer le robot culinaire ★ Verser la préparation dans les verres ★ Ranger!

Mandoline ★ www.mangerfute.com

LexiQue ★ Les mots expliqués...

Activer l'ouvre-boîte : si l'ouvre-boîte est électrique : tu peux le faire fonctionner pendant qu'un adulte tient la boîte. S'il est manuel, tu peux tourner la manette pendant qu'un adulte tient l'ouvre-boîte et la boîte.

Activer la minuterie : c'est un peu comme si tu mettais un réveille-matin en marche. Quand elle sonnera, la minuterie t'indiquera que le temps de cuisson ou d'attente est terminé.

Activer le four : placer le bouton d'allumage au degré demandé pour que le four se mette à chauffer. On dit aussi préchauffer le four.

Al dente : c'est une expression en italien. Ça veut dire que les pâtes doivent être cuites jusqu'à ce qu'elles soient encore fermes sous la dent, pas trop molles. Pour vérifier prudemment (un adulte peut t'aider) tu prends un échantillon de pâte dans la casserole et tu goûtes, à l'italienne !

Amener à ébullition : laisser chauffer le liquide jusqu'à ce qu'il soit bouillant. Il fait alors des bulles les unes après les autres. N'y touche pas, tu te brûlerais.

Au goût : tu mets la quantité qu'il faut pour que ça goûte comme tu aimes.

Badigeonner : étendre, étaler un liquide pour en recouvrir une pièce de viande par exemple. Tu peux utiliser un pinceau de cuisine.

Casser un oeuf : tu prends d'abord un petit bol. Tu cognes délicatement ton oeuf au fond du bol. La coquille va se briser. Ensuite, tu tiens un bout de la coquille dans chaque main, du bout des doigts. Puis tu tires tranquillement. Reste bien au-dessus du bol. Le contenu de l'oeuf devrait se retrouver dans le bol. Assure-toi que la coquille de l'oeuf est bien vide. Jette les morceaux de coquille. Vérifie qu'il ne reste aucun morceau de coquille dans le bol.

Consistance homogène : tellement bien mélangé qu'on ne peut plus reconnaître les ingrédients qui en font partie. Ils forment un nouveau mélange.

Couper : c'est un travail qui peut être dangereux. Tu dois utiliser un moyen selon tes habiletés et ton âge. L'adulte qui cuisine avec toi pourra

t'aider à choisir un couteau plus ou moins coupant, plus ou moins pointu, etc.

Couvrir : mettre un couvercle (et non pas une couverture de laine !)

Économiseur : un petit ustensile qui se nomme aussi « éplucheur à légumes ». Il ressemble à un couteau avec un long trou au milieu.

Émincer : couper en morceaux minces et longs ou en tranches minces. Les oignons émincés, par exemple, ressemblent à des morceaux de lacets. L'ail émincé est vraiment coupé en très petits morceaux comme de très petits cailloux.

Éponger : enlever délicatement le surplus d'eau en tapotant douce-ment avec un essuie-tout. Attention à ne pas laisser de petits morceaux de papier se coller sur ce que tu éponges.

Façonner : former avec les mains. C'est très amusant. Pour des croquettes par exemple, tu formes une boule, un peu comme une petite balle de neige, et puis tu l'aplatis. Voilà !

Faire revenir : il s'agit de brasser doucement les aliments qu'on place dans la casserole ou la poêle. On les fait aller d'un côté avec la cuillère de bois. Puis on les fait revenir de l'autre côté. Et on recommence quelques fois. Pendant qu'ils se promènent, ils cuisent tout doucement.

Faire sauter : faire cuire dans un peu d'huile tout en brassant. La poêle ou la casserole doit être bien chaude.

Farcir : déposer une petite quantité d'ingrédients, ou de mélange, au milieu d'un autre ingrédient (par exemple au milieu d'une pâte ou au milieu d'un légume évidé).

Goûter et rectifier l'assaisonnement : prendre une petite quantité dans la casserole. Laisser refroidir un peu et goûter. Ça permet de vérifier s'il y a assez de sel, de poivre ou d'autres assaisonnements. Attention : il faut laisser refroidir un peu avant de goûter un plat chaud.

Lexique ★ Les mots expliqués...

Huiler le moule (ou la plaque): étendre une mince couche d'huile sur toute la surface du plat. Pour étendre l'huile, tu peux utiliser un pinceau de cuisine (ou un essuie-tout). C'est comme si tu coloriais le moule avec de l'huile au lieu de la peinture. Il faut bien prendre soin d'en mettre partout dans le moule (et non partout dans la cuisine!)

Laisser refroidir: ne pas oublier de mettre un sous-plat sous le plat chaud. Cela protégera l'endroit où il sera déposé. Il pourra ainsi refroidir sans danger.

Lanière: morceau mince et long taillé dans un légume ou de la viande, gros environ comme un crayon coupé en trois ou quatre bouts.

Laver le dessus des boîtes de conserve: avec un linge humide propre. Sinon en ouvrant la boîte, les poussières et microbes tomberaient dedans. Tu aimerais ça en manger? Ouache!

Mijoter: c'est ce qui fait que ça sent bon dans toute la maison. Mijoter, c'est laisser cuire très lentement à feu très bas. On brasse de temps en temps et on goûte un peu pour vérifier l'assaisonnement à la fin de la cuisson.

Napper: napper la viande, c'est la recouvrir de sauce.

Placer un plat ou sortir un plat du four: normalement, tu demandes à l'adulte qui t'accompagne de le faire. Il faut utiliser des mitaines ou des outils spéciaux pour ne pas se brûler les mains. De plus, il faut avoir les bras assez longs pour aller chercher le plat par-dessus la porte du four. Tu pourras le faire quand tu seras plus grand.

Préparation: c'est ce qu'il y a dans ton plat quand tu as fini de mélanger les ingrédients.

Ranger: il s'agit de replacer la cuisine en ordre: laver les ustensiles et les contenants à mesurer (ou les placer au lave-vaisselle). Remettre à leur place les ingrédients qui restent. Ce travail te fera passer le temps pendant que ta préparation cuit au four et sent déjà bon (ou pendant que la pâte lève ou qu'un plat refroidit).

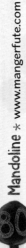

Réduire de moitié : laisser chauffer jusqu'à ce qu'il en reste juste la moitié. La moitié disparue est devenue une bonne odeur dans la maison.

Réduire le feu : faire chauffer moins fort.

Réserver : mettre de côté, tu t'en serviras un peu plus tard.

Saisir : ça veut dire faire cuire peu de temps dans une poêle très chaude, juste le temps de faire changer de couleur.

Saupoudrer : en mettre juste un tout petit peu sur le dessus, un peu partout. Comme les premiers flocons de neige qui commencent à blanchir une pelouse. Tu peux mettre une petite pincée à la fois dans tes doigts et éparpiller légèrement. Tu dois simplement laisser tomber sur le dessus sans mélanger.

Se laver les mains : c'est la première chose que doit faire tout bon cuisinier avant de commencer une recette.

Sentir : ton nez te dira si tes ingrédients sentent frais ou non. Ça peut aussi t'éviter de confondre certains ingrédients semblables (comme la cannelle et le poivre de Cayenne qui goûtent vraiment différent !) C'est aussi un plaisir de sentir...

Sortir les outils de travail : sortir le matériel nécessaire à la préparation de la recette : les ustensiles, les plats, les contenants à mesurer, etc.

Tamis : un tamis ressemble à un grillage de moustiquaire en forme de bol. Il sert à enlever le liquide des ingrédients. C'est un peu comme une passoire avec des plus petits trous.

Trancher : placer l'ingrédient à couper sur une planche à découper propre. Tenir l'ingrédient d'une main. Avec un couteau dans l'autre main, couper l'ingrédient en tranches. Un adulte doit s'assurer que tu utilises un couteau selon tes habiletés (voir couper). Il te dira aussi à quelle épaisseur il faut couper les tranches. Il faut travailler lentement, sans se laisser distraire. Parce que se couper, tu le sais peut-être, ça fait mal !

Découvrir « ce que j'ai dans le sang »!

Quand tu te coupes et qu'il y a du sang qui coule, tu as l'impression qu'il n'y a que du liquide. En réalité, il y a des cellules dans le liquide! Il y a trois sortes de cellules: les globules rouges, les globules blancs et les plaquettes. La partie liquide du sang est appelée le plasma.

Les globules rouges sont les plus nombreux dans le liquide. Ce sont eux qui donnent la couleur rouge au sang. Les globules rouges sont des transporteurs d'oxygène. Quand le sang passe tout près des poumons, les globules rouges attachent de l'oxygène et ils en transportent dans tout ton corps. Pour que ton corps fabrique des globules rouges, il est très important de manger des aliments variés. Ainsi, tu peux avoir en provision dans ton corps: des protéines, du fer, de la vitamine B12 et de la vitamine B9.

Les globules blancs sont beaucoup moins nombreux que les globules rouges, mais ils sont très importants. Les globules blancs sont comme des petits soldats qui te défendent, entre autres choses, contre les virus du rhume ou de la grippe.

Les plaquettes sont très peu nombreuses, elles aussi, mais elles sont tout aussi importantes. Les plaquettes sont capables de transformer le sang liquide en « gélatine ». Tu sais lorsque tu te blesses à un genou par exemple, le sang coule et par la suite le sang devient comme du gel. Finalement, le sang cesse de couler et une petite croûte se forme et la blessure finit par guérir. Donc, c'est grâce aux plaquettes que tu arrêtes de saigner.

Le plasma c'est la partie liquide du sang. Il y a beaucoup de plasma dans le sang. Le plasma est un grand transporteur lui aussi. Quand le sang passe tout près des intestins, le plasma accroche des petites particules qui se trouvent dans les aliments. Ces petites particules sont des vitamines (comme la vitamine C dans les framboises), des minéraux (comme le fer dans les légumineuses ou comme le calcium dans le lait), des protéines (comme les protéines de la viande ou du poisson), le sucre (comme le sucre d'une pomme) ou les gras (comme le gras dans le fromage). Après avoir accroché toutes ces petites particules, le plasma se promène dans ton corps. Il va porter à tes muscles, à ton cerveau ou à tout autre endroit ces « petites particules » dont ton corps a besoin pour bien fonctionner. C'est pour ça que c'est si important de manger de bons aliments qui t'apportent toutes ces petites particules. Grâce à elles, tu peux te sentir bien et tu peux courir, marcher, respirer, parler, grandir, jouer au hockey, réfléchir, chanter, danser, jouer au football, jouer au soccer et plus encore!

Des activités pour s'amuser !

Thème 1: Des légumes verts, j'ai ça dans le sang !

Activité 1: Je m'en vais au marché 84

Activité 2: Des légumes comme matériel de création . 86

Activité 3: Une recherche sur les légumes 87

Histoire de la famille verte "B9" 88

La comptine de Mandoline 89

Thème 2: Du poisson, j'ai ça dans le sang !

Activité 1: Je m'en vais à la pêche 90

Activité 2: L'histoire de Julien 92

Activité 3: Végétal ou animal? 93

Activité 4: Mangerions-nous des clous!?! 94

Des légumes verts, j'ai ça dans le sang !

Je m'en vais au marché

Intention pédagogique
Faire connaître certains légumes verts et leurs bienfaits pour la santé, celle du sang en particulier.

Matériel

★ Sacs « écolos »

★ Circulaires d'épiceries

★ Colle

★ Ciseaux

★ Chaudrons

★ Légumes verts frais (asperges, chou, brocolis, épinards, pois mange-tout, choux de Bruxelles, persil frais, pois verts et laitue romaine)

★ Caisse enregistreuse

★ Argent jouet

★ Contenants vides de produits alimentaires (exemple : pots de margarine, pots de moutarde, contenants de lait, contenants de jus d'orange, boîtes à œufs, etc.)

★ Contenants de plastique avec couvercles, paniers ou paniers d'épicerie, Histoire de la famille verte « B9 » (page 88)

★ Comptine de Mandoline (page 89) et images des légumes frais retrouvées sur le site Internet **www.MangerFute.com**.

Aller au marché d'alimentation (avec les enfants, si possible) et acheter les légumes frais suggérés (asperges, chou, brocolis, épinards, pois mange-tout, choux de Bruxelles, persil frais, pois verts et laitue romaine).

Disposer au mur un grand carton avec les images des légumes frais achetés et dessiner sous ces images des assiettes. Raconter aux enfants l'histoire de la famille verte « B9 » et lire la comptine de Mandoline (pages 88 et 89). Demander aux enfants de s'exprimer sur l'histoire et la comptine. Montrer des images de légumes en demandant aux enfants de les nommer et de s'exprimer sur chacun d'eux.

3

Préparer une table avec des circulaires d'épicerie, de la colle et des ciseaux. Demander aux enfants plus vieux de découper les images de légumes semblables à celles sur le carton et d'aller ensuite les coller dans les bonnes assiettes. À cette étape du projet, les plus jeunes pourront déchirer dans les circulaires d'épiceries et coller à leur guise.

4

À l'insu des enfants, laver les légumes frais achetés. Couper grossièrement certains légumes pour réussir à les placer dans des contenants de plastique avec couvercles. Toujours sans la présence des enfants, préparer le local en disposant sur des étagères des contenants vides de produits alimentaires et les contenants de plastique qui protègent les légumes frais. Réserver un endroit pour disposer une caisse enregistreuse. Mettre les paniers ou les paniers d'épicerie bien à la vue.

Pistes d'intervention

Cognitif : Nommer et associer les images aux légumes.

Psycho-moteur : Transporter, ouvrir et fermer les contenants, couper et manipuler.

Social : Encourager les plus vieux à aider les plus petits.

Affectif : Nommer les aliments que l'on préfère.

5

Nommer un légume à la fois. Demander aux enfants de chercher ce légume. Une fois trouvé, l'enfant ou l'équipe le met dans son sac. Lorsque tous les légumes sont trouvés, les enfants devront les apporter et les disposer dans un chaudron. Demander aux enfants plus vieux de vous aider à les laver. Pendant ce temps, les plus petits pourront s'amuser à jouer à l'épicerie. Ensuite, ils pourront tous ensemble déguster le fruit de leur récolte. Le chou, le brocoli, les épinards, les pois mange-tout, le persil frais, les pois verts et la laitue romaine se mangent facilement crus (ou blanchis pour diminuer les risques d'étouffement). Les asperges peuvent se manger blanchies et refroidies. Vous pouvez servir tous ces légumes avec **la trempette irrésistible (page 24)** qui est facile à préparer avec les enfants. Les choux de Bruxelles et plusieurs autres légumes suggérés peuvent également être cuits et accompagner un repas.

Des légumes verts,
j'ai ça dans le sang!

Des légumes comme matériel de création

Matériel

★ Couteaux de plastique

★ Cure-dents

★ Bâtonnets de bois

★ Trombones

★ Attaches parisiennes

★ Élastiques

★ Légumes verts frais (asperges, chou, brocolis, épinards, pois mange-tout, choux de Bruxelles, persil frais, pois verts et laitue romaine).

Intentions pédagogiques
En touchant au domaine des arts plastiques, créer une oeuvre avec des légumes : une image ou une sculpture.

Exposer les notions telles que l'organisation dans l'espace (répétition, alternance, symétrie, asymétrie), les volumes, les couleurs (primaires, chaudes, froides), les textures, etc.

Faire connaître certains légumes verts et leurs bienfaits pour la santé, celle du sang en particulier.

Piste d'intervention

Préparer une table à bricolage. Présenter une petite quantité de légumes frais non coupés. Laisser les enfants créer leur oeuvre. Une fois terminées, les enfants présentent leurs créations. Poser des questions telles que comment s'est-il senti durant la création? Par où ou avec quel élément a-t-il commencé? Est-ce que cela a été facile à créer ou a-t-il eu de la difficulté? A-t-il eu envie de manger son légume? Poser des questions sur l'organisation dans l'espace, telles que : Est-ce qu'il y a des répétitions, des alternances dans le choix de légumes? «Oui, j'ai fait la queue de mon monstre en alternant les morceaux de chou et d'asperge!» Profitez de l'occasion pour faire remarquer aux enfants que ce sont tous des légumes verts et que ces légumes ont la particularité de contenir de la vitamine B9 qu'on nomme également folate. Cette vitamine est nécessaire pour la fabrication de notre sang. Inspirez-vous des notions données sur le sang (page 82).

Des légumes verts,
j'ai ça dans le sang!

Une recherche sur les légumes

Intentions pédagogiques

En touchant aux domaines des langues, de la mathématique, de l'univers social et du domaine du développement, chercher et trouver des informations concernant un légume vert parmi la liste : asperges, chou, brocolis, épinards, pois mange-tout, choux de Bruxelles, persil frais, pois verts et laitue romaine.

Matériel

★ Dictionnaires

★ Encyclopédie des aliments ou sites Interne

★ Images des légumes verts

★ Recette de la trempette irrésistible (page 24)

★ Ingrédients et ustensiles de cuisine pour préparer la trempette.

Piste d'intervention

En équipe, les enfants choisissent un légume vert parmi la liste. Demander à chaque équipe de chercher et trouver des informations concernant le légume choisi. Par exemple : où est-il cultivé ? Combien coûte l'aliment ? Si vous aviez seulement des « dix » sous et des « un » sou, combien vous en faudrait-il pour acheter l'aliment ? Écrire le nom de votre aliment en français, en anglais et en espagnol. Nommer une vitamine retrouvée dans votre légume et expliquer à quoi sert cette vitamine, etc. Chaque équipe présente son légume et prépare la **trempette irrésistible (page 24)** pour faire la dégustation du légume. Vous pouvez demander aux enfants leurs préférences et pourquoi ? Demander aux enfants d'où provient le légume frais qu'ils ont acheté (du Québec ou d'ailleurs) ? Si le légume pousse au Québec, pourquoi un épicier le fait-il venir d'ailleurs ? Qu'en pensent-ils ? Profiter de l'occasion pour faire remarquer aux enfants que ce sont tous des légumes verts et que ces légumes ont la particularité de contenir de la vitamine B9 qu'on nomme également folate. Cette vitamine est nécessaire pour la fabrication de notre sang. Inspirez-vous des notions données sur le sang (page 82).

Histoire
de la famille verte « B9 »

Utiliser les légumes comme des marionnettes qui se parlent.

Le **brocoli** dit à l'**asperge** :

— Ah! Mais je suis beaucoup plus grand que vous et bien plus beau! Je ressemble à un arbre MOI!!!

— Oh! Dit l'**asperge**. Je reconnais votre beauté et votre grandeur, mon ami. Mais avez-vous remarqué ma délicatesse et ma souplesse?

— Mais pourquoi vous comparez-vous? dit monsieur l'**épinard**. Moi j'apprécie votre compagnie à tous les deux dans une recette de Mandoline. D'ailleurs, quand il s'agit de légume vert bon pour le sang, Mandoline pense souvent à MOI!

Les **petits pois verts** vinrent se rouler à la conversation :

— À nous aussi, parce que nous aussi nous sommes «VERTS».

En entendant ce mot «VERT» les autres légumes verts du jardin accoururent. Peux-tu en nommer? ... *(laisser s'exprimer les enfants)*

> Chou vert ★ Chou de Bruxelles ★ Pois mange-tout ★ Persil frais
> Laitue romaine ★ Roquette

Demander aux enfants quels sont leurs légumes préférés dans cette histoire et de quelle façon ils aiment les manger: crus, cuits, avec trempette, en salade, ou mijotés, etc.

Puis présenter un gros chou vert auquel on a mis des lunettes et prendre une grosse voix pour expliquer:

Les amis, j'ai un secret à vous dire. Tous les légumes verts de cette histoire ont quelque chose de caché en eux. Ça ne se voit pas, ça ne se goûte pas, ça ne se sent pas avec le nez. Mais, quand tu en manges, il y a quelque chose qui s'en va dans ton sang. Ton sang aime bien ces légumes à cause de ce secret.

Aimerais-tu connaître ce secret?

Alors je vais te le dire: ces légumes contiennent une vitamine spéciale qui nourrit ton sang. Elle s'appelle «FOLATE» ou, c'est plus facile à retenir: «B9». Ça construit les cellules de ton sang. La B9, quand on a ça dans le sang, on est en forme!

Te souviens-tu dans quels légumes on peut la trouver?...

La comptine de Mandoline

1 B9 est une vitamine
Bonne pour toi et Mandoline.
Elle donne de l'énergie
À toi et tes amis.

*Refrain** (en tapant dans les mains):
Tape les mains pour la folate,
C'est bien bon dans mon bedon.
Tape les mains pour la folate,
Je lui chante un rigodon.

2 Où trouver cette mine d'or?
Y en a dans les épinards.
Je les aime dans une trempette
Ou avec de la roquette.

3 Choux de Bruxelles ou
bien chou vert,
Asperges ou bien brocoli;
T'as le choix des petits pois verts
Pois mange-tout ou du persil.

4 Au four ou à la vapeur
Tout sera plein de saveur.
Une romaine et du citron,
Des fines herbes et des poivrons.

5 En ratatouille, en terrine,
En sauté, en fricassée,
Amuse-toi à préparer
Les recettes de Mandoline.

6 B9 est une vitamine
Qui te donne du bon sang.
Tu peux croire Mandoline,
Ça te rendra tout pimpant.

Mandoline * www.mangerfute.com

* Le refrain est facultatif, choisir le nombre de couplets
selon l'âge des enfants.

Du poisson,
j'ai ça dans le sang !

Je m'en vais à la pêche

Matériel

★ Livres sur les différents poissons

★ Boîtes de carton, bâtons
(qui serviront de canne à pêche)

★ Petits aimants

★ Trombones

★ Ficelle

★ Gommette, pâte à modeler

★ Boîtes de conserve (non ouvertes)
de différentes sortes de poisson
(hareng, thon pâle, sardines,
saumon, maquereau, etc.)

Intention pédagogique
Faire découvrir différentes
sortes de poissons et leurs
bienfaits pour la santé, celle
du sang en particulier.

Aider à faire des liens
entre un être vivant et
ce qui se retrouve
dans l'assiette.

★ Matériel de récupération

★ Matériel de motricité (cônes,
cordes, cerceaux, chaises, etc.),
récipient d'eau (très large)

★ Images de poissons
retrouvées sur le site Internet
www.MangerFute.com.

Afficher au mur un grand carton ou un grand papier représentant un plan
d'eau que vous aurez dessiné (lac, rivière, mer, etc.) bien simplement, sans
trop de détails afin de laisser libre cours à l'imagination des enfants. Coller
dans ce plan d'eau différentes images de poissons que vous retrouverez
sur le site Internet **www.MangerFute.com** (reproduire ces images en plus
petit format et les plastifier). Placer sur une table des livres et images sur
les poissons ainsi que des boîtes de conserve non ouvertes (hareng, thon
pâle, sardines, saumon, maquereau, etc.)

Donner aux enfants le temps de découvrir et d'explorer. Laissez-les, par la
suite, venir à vous et poser des questions. Une fois la période d'exploration,
de questions et d'explications terminée, proposez-leur d'aller à la pêche.

3

Dire aux enfants qu'avant d'aller pêcher, il faut traverser une rivière. Dans une grande pièce ou même un corridor, installer des cônes qu'ils devront contourner, des cerceaux dans lesquels ils pourront sauter, des formes au plancher, des chaises sous lesquelles ils pourront ramper, etc.

4

Dans une pièce, placer des grandes boîtes vides ouvertes et une table à l'envers. Déposer dans les boîtes et sur la table, les poissons plastifiés auxquels vous aurez fixé un trombone. Donnez aux enfants de petits bâtons avec une ficelle au bout de laquelle vous aurez fixé un aimant. Laissez-les découvrir…

Une fois la pêche terminée, demander aux enfants d'aller coller les poissons pêchés sur le poisson correspondant au mur et leur apprendre les noms de ces poissons. Pour les plus petits, ils pourront jouer dans le grand récipient d'eau ou ils pourront aller dessiner sur le grand carton ou papier.

Mettre aussi à la disposition des enfants une table avec de la pâte à modeler, des livres et des images de poissons. Proposer aux enfants de reproduire leurs poissons préférés.

5

Faire une dégustation de différents poissons. La dégustation peut se faire à partir des poissons en conserve (hareng, thon pâle, sardines, saumon, maquereau, etc.) Demander quel est leur préféré. Vous pouvez également choisir de cuisiner du poisson avec les enfants ou d'offrir du poisson au menu. Pour vous inspirer, Mandoline vous propose des **croquettes de saumon (page 14)** et du **poisson à la ciboulette (page 50)**. Vous pouvez également consulter le livre

Du plaisir à bien manger… qui contient des recettes de poissons en format familial et pour les grands groupes.

La dégustation est un bon moment pour expliquer les bienfaits des protéines pour la santé, celle du sang en particulier. Peut-être dire simplement que pour avoir du bon sang et être en forme, c'est bon de manger du poisson, de la viande et des légumes verts. Aujourd'hui, on va goûter à des poissons.

Pistes d'intervention

Cognitif : nommer, associer les images aux poissons, approfondir les connaissances sur le sujet, faire des liens et reproduire.

Psycho-moteur : courir, sauter, ramper, coordonner (œil/main) et manipuler.

Social : échanger, partager et collaborer.

Affectif : estime de soi et fierté.

Mandoline ✶ www.mangerfute.com

91

Du poisson,
j'ai ça dans le sang!

L'histoire de Julien

Matériel

★ Guide alimentaire canadien

★ La Comptine de Mandoline (page 89)

Intention pédagogique
En touchant au domaine du développement, pratiquer l'écoute, identifier le poisson comme source de protéines comme la viande et la volaille.

Connaître l'importance des protéines dans la santé du sang.

Pistes d'intervention

1 Lire l'histoire qui suit en questionnant les enfants au fil de la lecture et en les laissant s'exprimer. «Un jour, en jouant au parc avec son frère, Julien est tombé. Il s'est fait mal au genou, ça saignait.» Est-ce que ça t'est déjà arrivé de te faire mal et de saigner?... Est-ce que ça fait pleurer?... Est-ce que c'est dangereux de saigner?... Que faut-il faire quand on saigne?... Veux-tu savoir ce qui est arrivé à Julien?

«Sa maman a consolé Julien. Elle lui a expliqué qu'il y avait des petites cellules dans son sang qui rendait le sang comme de la gélatine et que sa blessure cessera de saigner grâce à ces petites cellules. Aussi, lorsque l'on saigne beaucoup, notre corps doit fabriquer du sang pour remplacer ce qu'il a perdu.» Sais-tu de quoi nous avons besoin pour fabriquer notre sang et le rendre fort?

2 À l'aide du Guide alimentaire canadien, présenter le poisson comme faisant partie du groupe des viandes et des substituts. Le groupe des viandes et substituts procure, entre autres, des protéines, de la vitamine B12 et du fer. Ces nutriments sont nécessaires à la fabrication du sang. Inspirez-vous des notions données sur le sang (page 82). Poursuivre la réflexion avec les enfants: ce que le sang préfère pour devenir fort, ça se trouve beaucoup dans les POISSONS, ça s'appelle des PROTÉINES. Il y en a aussi dans la viande, dans la volaille, dans le tofu, dans les œufs, dans les légumineuses et dans les noix. Peux-tu me nommer des viandes?... (Boeuf, veau, porc, poulet, dinde, etc.) Connais-tu une sorte de légumineuse?... (Pois chiches, lentilles, etc.) Le sang aime beaucoup aussi tout ce qu'il y a dans la comptine de Mandoline (page 89). T'en souviens-tu? On ajoute un couplet à la comptine. On peut ajouter un geste à chaque ligne.

Mon sang aime les protéines, ah-yé!
Autant que les vitamines, ah-yé!
Viandes, poissons et légumes verts, ah-yé!
C'est aussi c'que je préfère, ah-yé!

Végétal ou animal?

Matériel

★ Papiers et crayons

★ Images d'aliment du règne animal et du règne végétal retrouvées sur le site Internet **www.MangerFute.com**.

Intentions pédagogiques

En touchant au domaine du développement, reconnaître et encourager la consommation des aliments contenant de la vitamine B12. Utiliser les connaissances acquises en créant un menu contenant des aliments qui aident à la fabrication du sang.

Pour les **7 ans et plus**

Pistes d'intervention

1 Distribuer à chaque enfant une image d'aliment provenant soit du règne végétal (pois chiches, brocolis, céréales à déjeuner, pain, pomme, etc.) soit du règne animal (poisson, poulet, œuf, lait, palourde, crevette, etc.) Demander à chaque enfant si l'aliment qui lui a été assigné provient du règne animal ou du règne végétal.

2 Expliquer aux enfants que les aliments du règne animal contiennent une vitamine qu'il est presque impossible de retrouver naturellement dans les aliments du règne végétal. C'est la vitamine B12 qu'on nomme aussi la cobalamine. La vitamine B12 est nécessaire pour créer les globules rouges du sang. Une personne qui décide de ne pas manger aucun aliment du règne animal est végétarienne. Pour être en bonne santé, un végétarien connaît bien les aliments du règne végétal que le producteur a enrichi en vitamine B12. Il y a certaines céréales, la levure alimentaire Red Star et certaines boissons de soya enrichies en vitamine B12.

3 Demander aux enfants d'imaginer un menu contenant des aliments qui fournissent, entre autres, de la vitamine B12, de la vitamine B9, du fer et des protéines.

Du poisson,
j'ai ça dans le sang!

Mangerions-nous des clous!?!

Pour les
7 ans et
plus

Matériel

★ Aimants

★ Collants magnétiques

★ Petits objets métalliques
(clous, trombones, vis, etc.)

★ Liste d'aliments
« Des aliments de fer »
(page 95)

★ Guide alimentaire canadien.

Intention pédagogique

En touchant le domaine du développement et le domaine des langues, identifier diverses sources alimentaires de fer, les associer à des aliments qui en facilitent l'absorption.

Pistes d'intervention

1 Fournir à chaque enfant un aimant ou un collant magnétique. Laisser les enfants explorer leur environnement pour détecter les objets en métal (classeur, frigo, trombones, clous, vis, etc.) Chaque fois qu'un enfant trouve un objet de métal, il vient écrire le mot au tableau (s'il n'est pas déjà écrit).

2 Dans notre sang, il y a comme des petits aimants (des cellules) qui cherchent du fer. Pourquoi? Le sang a besoin de fer en plus de la folate (tu te souviens de la vitamine B9?) et de la cobalamine (tu te souviens de la vitamine B12?) Les cellules de notre sang trouvent le fer dans ce que l'on mange. Est-ce qu'on peut manger des clous ou des morceaux de classeur?... Dans quels aliments le fer se cache-t-il?

3 Donner à chaque enfant une feuille sur laquelle il y a des mots provenant du tableau « Des aliments de fer » (page 95). Noter que certains mots sont en lettres minuscules et d'autres sont en lettre majuscule. Voici les consignes:

1. Faire lire les mots de la liste par les enfants et leur demander d'écrire un « F » à côté de chaque mot qui contient du fer. Les enfants trouveront drôle de voir des mots comme clou, vis ou classeur. Ce sera l'occasion de rire en distinguant ce qui se mange ou non, tout en s'imaginant trancher des morceaux de classeur et hacher des clous pour faire un sandwich plein de fer.

2. Corriger le travail avec les enfants. Faire remarquer que les aliments contenant du fer se trouvent habituellement dans le groupe des viandes et des substituts. Les produits céréaliers à grains entiers, les légumes verts, les fruits séchés, les légumineuses, les noix, les graines et la mélasse sont aussi une source de fer.